Vassilis Alexakis

L'enfant grec

Gallimard

À François Bott

1

J'aimerais garder un souvenir de ces jours un peu longs et un peu tristes. Je me vois en train de sortir de l'hôtel Perreyve avec mes béquilles. Je tourne à gauche, puis encore à gauche dans la rue de Fleurus et je me dirige tout doucement vers le jardin du Luxembourg qui est à moins de cent mètres. Je ne sais pas pourquoi le jardin porte ce nom. L'hôtel doit le sien à un abbé qui a œuvré autrefois dans le quartier.

— C'est l'abbé qui a construit l'hôtel pour accueillir des filles perdues, ai-je suggéré au gérant, un homme frêle au visage étroit et à la chevelure épaisse. Il ne les faisait pas payer, mais les obligeait à réciter des prières. Certaines chambres étaient à cinquante *Ave* par jour, d'autres, comme celle que j'occupe, à cent dix, avec le petit déjeuner compris.

Il a eu un sourire un peu fatigué.

— Quel genre de livres écrivez-vous ? m'a-t-il demandé d'une voix éteinte.

Il m'est venu l'idée qu'il ne connaissait pas ses

parents, qu'il avait été volé à la naissance par un méchant individu qui l'a vendu plus tard à un vieux saltimbanque, directeur d'une troupe d'animaux savants.

— Des romans d'aventures, ai-je répondu sans hésitation.

Les gens que je croise marchent beaucoup plus vite que d'habitude. Pourquoi sont-ils si pressés ? On dirait qu'ils doivent régler toutes leurs affaires avant la fin du jour, qui survient tôt en cette période de l'année. Ils ne regardent pas autour d'eux, ils ont les yeux rivés sur l'autre bout de la rue où passe le boulevard Raspail. J'ai habité autrefois boulevard Raspail. Le quartier ne m'est pas inconnu, il ne m'est pas familier non plus. Je ne fréquentais pas le jardin du Luxembourg à l'époque. Mes enfants n'étaient pas encore nés.

Le trottoir n'est pas assez large pour que je puisse me tenir bien à l'écart des passants, qui filent comme des météorites. Le moindre heurt pourrait me faire tomber. J'ai l'impression de cheminer au milieu d'une tempête de météorites. Même les chiens m'inspirent des inquiétudes. Ils paraissent intrigués par mes béquilles en tubes chromés, peut-être parce qu'elles ressemblent à des pieds de table de cuisine. « Je suis une table qui fait peu à peu son chemin », pensé-je. Mes cannes sont presque aussi légères que celles des aveugles, hélas elles ne me permettent de faire aucun bruit car elles sont chaussées de gros patins en caoutchouc. Elles sont surmontées de gaines bleues qui soutiennent mes bras. Je préférerais disposer de béquilles de bois, qui sont plus lourdes et plus hautes, et que je pourrais bloquer sous mes aisselles. Malheureusement, on n'en trouve plus dans le commerce. À Néa Philadelphia, dans la banlieue d'Athènes où mes parents ont déménagé quand j'avais quatorze ans, je voyais parfois un unijambiste armé de tels bâtons. Je crois qu'ils portaient à leur sommet un coussinet. Était-ce un invalide de guerre ? Je suis né à la fin de la guerre de 40. Je pense également à Long John Silver, le méchant pirate de *L'île au trésor*, qui est amputé d'une jambe. Il n'utilise, lui, qu'une seule béquille, qui lui sert parfois à corriger le jeune héros du roman. Comment s'appelle ce garçon ? J'ai oublié son nom, il fut pourtant un de mes meilleurs amis.

Je marchais relativement vite avant mon opération. J'éprouvais même de l'agacement lorsqu'une personne âgée, recroquevillée sur son cabas à roulettes, m'obligeait à ralentir ma marche. Il m'est arrivé de penser que les vieux ne devraient être autorisés à sortir que tôt le matin, comme les éboueurs. Je n'étais pas néanmoins aussi agité que les piétons d'aujourd'hui. Que leur est-il arrivé durant mon séjour à l'hôpital d'Aix ?

À présent je ne parviens à doubler que les pigeons qui marchent au bord du trottoir. Ils ne s'intéressent guère, eux, à mes béquilles. En revanche ils paraissent étonnés par leur propre reflet, tel qu'il apparaît sur la carrosserie des voitures en stationnement. Ils s'immobilisent pour mieux le voir, ou pour s'assurer qu'il s'arrêtera aussi. Ils sont en train de découvrir le mot « reflet ».

Mon handicap m'oblige à regarder bien plus attentivement que je ne le faisais par le passé les vitrines des magasins et les façades des immeubles. Je suis devenu une sorte d'inspecteur des rues. Je connais par cœur les titres des ouvrages exposés chez un libraire de livres anciens, je pourrais décrire la plupart des bijoux fantaisie présentés dans une autre vitrine. J'ai repéré une nymphe en stuc au-dessus de l'entrée de l'immeuble qui porte le numéro 23, et un satyre aux oreilles pointues et aux yeux exorbités qui habite de l'autre côté de la rue, au 10.

Je regarde souvent par terre pour éviter tout obstacle susceptible de me faire trébucher. J'ai trouvé un jour une pièce de cinquante centimes. Ne pouvant la ramasser, je me suis résigné à la repousser en direction d'un clochard qui a élu domicile entre une porte cochère et le café-tabac. Il se tient là assis, la tête enfouie entre ses jambes repliées. On pourrait le prendre pour un animal, car il est coiffé d'un bonnet à longs poils et habillé de peaux. Sa nature d'être humain n'est trahie que par ses pieds, bien visibles à travers les fentes de ses chaussures. Il me fait songer à Robinson Crusoé. « Pauvre Robinson ! pensé-je. Tu aurais dû rester dans ton île. » Il ne se fait apparemment aucune illusion sur la générosité des passants car il n'a prévu aucun récipient pour recevoir leur obole.

Un présentoir de cartes postales où figurent les

monuments de Paris sépare l'homme de l'entrée du café. Je m'arrête quelques instants devant ces images qui me faisaient rêver quand j'habitais Callithéa, le quartier d'Athènes où je suis né. J'ai l'impression que pas un jour ne s'est écoulé depuis, que je feuillette encore l'album sur Paris que possédaient mes parents. Je n'ignorais pas que ces somptueux édifices étaient construits sur un labyrinthe de catacombes, de carrières et d'égouts infestés de rats. J'avais lu en version abrégée dans la collection des « Classiques illustrés » bien des romans qui faisaient état de cette fourmilière, comme *Les Misérables* et *Les Mystères de Paris*. Il me reste de cette époque lointaine une certaine curiosité pour le Paris souterrain, que je n'ai jamais eu l'occasion de satisfaire.

Le café, qui porte le même nom que la rue, dispose d'une rangée de tables le long de sa devanture qui rendent le trottoir encore plus exigu à cet endroit. Elles sont occupées par des fumeurs invétérés qui allument une cigarette après l'autre. Ils ne sont pas très bavards. La fumée qu'ils exhalent complète leurs propos, nuance leur pensée, admet leurs incertitudes. Fumer est une façon d'avouer qu'on ne connaît pas les réponses. Il arrive toutefois que des bribes de conversations me parviennent aux oreilles, que je n'aurais sans doute pas saisies si je marchais normalement. J'ai entendu un monsieur qui fumait la pipe évoquer la grotte préhistorique de Gargas dont les parois sont couvertes d'empreintes de mains.

— Pourquoi peut-on éprouver le besoin de laisser de telles traces ? lui a demandé sa voisine qui fumait aussi.

J'ai été obligé d'avancer car je bloquais le passage. Je n'ai pas su où se trouve Gargas.

Est-ce qu'ils fumaient, les héros des romans que je lisais enfant et adolescent ? Je suis à peu près certain que ni le comte de Monte-Cristo, ni Tarzan, ni Georges Azur, le vaillant garçon qui se bat à Athènes contre les forces d'occupation nazies, ne fument. Pour Long John Silver je suis moins sûr. Est-ce cet exécrable individu qui m'aurait donné le goût du tabac ? Les personnages de roman n'ont pas été moins présents dans ma vie que les gens de ma famille. Le fait est que je continue de fumer, malgré les recommandations du chirurgien qui m'a opéré. Le seul moyen de me défaire de cette habitude serait peut-être d'acquérir un perroquet comme celui de Long John Silver, qui, perché sur mon épaule, me répéterait inlassablement :

— Éteins ta pipe ! Éteins ta pipe !

Superman ne fume certainement pas. S'il se mettait à fumer il perdrait à coup sûr la capacité de s'envoler. Le métier de héros exige une certaine hygiène de vie, comme chez les athlètes de haut niveau. « Toutes mes habitudes sont mauvaises. »

Nous sommes en novembre. Le temps est plutôt clément, je veux dire qu'il ne fait pas encore froid et qu'il pleut rarement. Ce sont de petites pluies, qui choisissent généralement la nuit. Les feuilles mortes qui jonchent les allées du jardin ont une belle couleur dorée. On dirait que la lumière vient de la terre et non pas du ciel qui est uniformément gris. Les feuilles qui sont couchées à l'envers sont presque blanches. Elles forment toutes ensemble une couche épaisse dans laquelle mon pied gauche trace un sillon. La pantoufle que je porte à ce pied, car il est encore enflé, me fait songer aux Caïques de la mer Égée. Les allées du Luxembourg ont la même couleur que la mer à l'heure du couchant.

Soudain un vent tourbillonnant soulève un amas de feuilles, les fait monter assez haut, mais pas jusqu'aux branches d'où elles sont tombées. Les arbres ont des troncs interminables. Malgré leur âge, ils se tiennent parfaitement droits. Un seul a réussi à conserver une de ses feuilles. Elle est logée au cœur de ses branches, près du tronc. À peine entré dans le jardin, je la cherche des yeux. Elle me fait penser, je ne sais trop pourquoi, à une vieille photo de famille. Je me dis que l'arbre l'a conservée pour se souvenir de la saison passée. Je continue de la fixer pendant que je déjeune à l'Auberge des Marionnettes, comme si mon regard pouvait l'encourager à résister au vent.

À mi-chemin entre le portail du jardin et l'Auberge, je m'assois essoufflé sur un banc. J'ai l'impression d'avoir parcouru une distance considérable, d'avoir franchi les limites de la ville. L'air me paraît meilleur que rue de Fleurus. J'ai enfin les mains libres. Fumerai-je ? Ne fumerai-je pas ?

Je suis convaincu que s'ils avaient à peindre ce coin du jardin, les meilleurs artistes approuveraient ma présence sur ce banc et seraient ravis de me voir allumer ma pipe. « C'est le seul plaisir qui me reste », m'excusé-je auprès de mon médecin. Il ne se passe pas grand-chose au Luxembourg à midi, en semaine. Il n'est fréquenté que par de grands oiseaux noirs au long bec, des corneilles sans doute, qui cherchent leur nourriture dans les poubelles en plastique placées çà et là, et par des athlètes amateurs. Les uns jouent au tennis derrière le rideau des arbres, les autres au basket près de l'Auberge, la plupart font du jogging sur le sentier qui longe les grilles. Parmi ces derniers il y a des gens plus âgés que moi, aux jambes maigrichonnes. J'ai remarqué une jeune femme blonde en blouson noir et short blanc. J'ai regardé l'heure au moment où elle traversait l'allée et pris la décision d'attendre son retour afin de la chronométrer. Elle est réapparue au bout de treize minutes exactement, puis elle a entrepris de faire un nouveau tour. J'ai eu de la sorte une première idée des dimensions du Luxembourg, que je n'ai jamais parcouru dans son ensemble. Je sais simplement qu'il possède un grand bassin où les enfants font flotter des bateaux. J'aperçois à peine du côté nord du jardin l'hôtel particulier du Petit-Luxembourg, et le palais qui abrite aujourd'hui le Sénat. Est-ce un sénateur, le vieil homme qui se promène en compagnie d'une jeune fille à l'extrémité opposée de l'allée où je me trouve ? Il a des cheveux blancs taillés en brosse.

Mais non, bien sûr : c'est Jean Valjean et la fille n'est autre que Cosette. Ils ne vont pas tarder à croiser Marius, dont Cosette tombera éperdument amoureuse. Marius aussi sera bouleversé, au point que son livre lui tombera des mains. Autrefois, l'hostilité de Valjean à cette idylle m'avait profondément choqué : je ne comprenais pas qu'un homme de cet âge puisse éprouver de la passion pour une adolescente qui est de surcroît sa fille adoptive. Marius et Cosette formaient un couple charmant dans l'édition illustrée de mon enfance. Valjean, lui, avait la belle tête carrée de Victor Hugo.

Alors que je contourne le terrain de basket, dégagé des feuilles mortes, le ballon roule dans ma direction. J'aimerais le renvoyer aux joueurs, mais je ne le peux pas. Elle m'attriste, la vue de ce ballon qui file sans que je puisse même l'arrêter. Mon frère, contrairement à moi, préférait le basket au foot. Il avait fixé un anneau de fer sur l'un des murs qui délimitaient la cour de notre maison de Callithéa. « Je ne peux pas arrêter le ballon parce qu'il appartient à une autre époque. » Le terrain du Luxembourg, qui est pourtant bien grand, ne possède pareillement qu'un seul panier. Il attire des joueurs solitaires qui se présentent à tour de rôle, chacun avec son propre ballon, pour s'entraîner, mais qui finissent par jouer tous ensemble. J'en connais certains de vue. Le plus assidu est un Noir qui a un pied bot. Son infirmité rend son jeu de jambes imprévisible, elle l'avantage nettement. Je suis content quand il marque un panier.

L'Auberge est un pavillon en bois peint en vert, dont les murs extérieurs sont constitués dans leur partie supérieure par des panneaux vitrés. Je suis devenu un habitué du lieu : le serveur se presse de m'ouvrir la porte, il m'aide à m'asseoir et à étendre ma jambe sur la chaise voisine, il me débarrasse de mes béquilles. Je choisis toujours la même place, qui me permet de regarder les joueurs de basket et de surveiller la dernière feuille encore en vie.

L'affiche accrochée au mur juste derrière moi représente un groupe d'enfants, vus de dos, qui suivent une séance du théâtre de Guignol. La scène est occupée par Guignol lui-même, reconnaissable à ses bonnes joues, à ses gros yeux et à sa bouche fine, par son compère Gnafron, un vieil alcoolique, et par un chat blanc.

— Il a un nom, ce chat ? ai-je demandé au serveur.

— C'est le chat Minouchet, m'a-t-il répondu sans se départir de sa gravité.

Il y a aussi un chien sur l'affiche, mais il fait partie du public, on le voit de dos. Il existe bien un théâtre de marionnettes derrière l'Auberge. C'est une construction carrée en dur, sans fenêtres, pas très ancienne apparemment. Je songe que mon frère, qui venait souvent à Paris, a probablement assisté à une représentation dans ce théâtre. Il aimait bien Guignol, d'ailleurs le peu de renseignements que j'ai sur ce personnage je les tiens de lui. Je sais par exemple que sa bouche est tournée à moitié vers le haut, à moitié vers le bas, qu'il a un profil gai et un profil renfrogné. Cela ne se vérifie pourtant pas sur l'affiche, où il sourit allègrement. Mon frère s'intéressait à beaucoup de choses. Il est mort il y a trois ans, mais je continue à lui parler, je lui parle même plus souvent que je ne lui téléphonais. Il est devenu très présent, sans doute pour me consoler de son absence.

Je suis entouré de tables vides. Une seule est occupée, près de l'entrée, par une femme qui a de jolis traits mais qui est rondelette et vraiment très petite. Ses pieds ne touchent pas le plancher. Elle a l'habitude de balancer ses chaussures à talons au bout de ses orteils. Elle me salue d'une simple inclination de la tête et pose aussitôt les yeux sur son plat, ce qui ne m'encourage pas à engager la conversation avec elle. Est-ce la patronne ? Une autre femme, grande et mince, s'installe parfois à la même table. Elle ne déjeune pas, elle, mais passe son temps à consulter son ordinateur portable. Est-ce la comptable de l'établissement ? Elle a la peau mate comme le serveur. Serait-elle sa sœur ? Lui non plus n'est pas très bavard, cependant ses yeux me scrutent avec une surprenante intensité. J'ai l'impression qu'il est sur le point de me confier un secret. Est-ce un ancien espion licencié à la fin de la guerre froide ? Je le soupçonne de me parler en langage codé :

— Nous avons du pot-au-feu comme plat du jour, aujourd'hui, me dit-il.

Que dois-je comprendre au juste ? Qu'un attentat sera perpétré dans la soirée contre le président du Sénat ? que le palais sera incendié ? Je vois des dizaines de sénateurs enveloppés de flammes qui courent à travers le jardin en vue de plonger dans le grand bassin qui constitue leur unique espoir de salut. Mais ils sont trop vieux et ne courent pas assez vite. Les rares qui atteignent le bassin périssent noyés au milieu d'une armada de bateaux d'enfants à la dérive.

— Je prendrai le plat du jour, dis-je en soutenant son regard.

Je suis toujours surpris lorsqu'il me sert, comme s'il s'était trompé de commande. Cela tient au fait qu'aucun plat ne me fait réellement envie. J'ai déjà goûté à la plupart des mets proposés par l'Auberge. Certains sont associés aux personnages du théâtre de marionnettes, comme le croque-monsieur Guignol, la crêpe au sarrasin Gnafron ou la quiche Madelon, qui est le nom de la femme de Guignol. Quand ai-je perdu l'appétit ? Cela s'est fait progressivement je pense : je me suis rendu compte que j'avais de plus en plus de mal à faire un choix dans les restaurants, que rien ne me tentait, pas même dans les établissements asiatiques qui ont des menus si longs. Mon séjour à l'hôpital n'a pas arrangé les choses. Je mange distraitement, comme on regarde la télé, juste pour passer un moment. Je ne nie pas en revanche que je bois avec un certain plaisir. Le serveur l'a remarqué car, aussitôt mon installation achevée, il m'apporte d'office un verre de rouge. Mon fils aîné a eu la bonne idée, avant de nous embarquer dans le train qui devait nous conduire d'Aix à Paris, d'acheter une bouteille de vin. Elle nous a tenu compagnie jusqu'à l'arrivée gare de Lyon trois heures plus tard. Nous étions assis face à face, en première. Nous avons laissé la bouteille vide sur la tablette à double battant qui nous séparait. Jean-Marc nous attendait sur le quai, il s'est précipité sur nous en nous prenant dans ses bras. Un bref instant nous nous sommes appuyés tous les trois sur mes béquilles. Je connais bien la gare de Lyon, c'est là que j'ai débarqué lors de mon premier voyage en France. Pourtant, en regardant l'heure à la grande horloge de son beffroi, j'ai remarqué pour la première fois que ses aiguilles sont bleues. Ensuite nous avons pris un taxi. Comme je ne pouvais pas rentrer au cinquième étage sans ascenseur où j'habite, nous sommes allés directement à l'hôtel.

Toutes les tables sont éclairées par un abat-jour orange. J'éteins systématiquement le mien, jugeant bien suffisante la lumière qui vient de l'extérieur. « Je suis en train de vivre un jour gris », songé-je. Les abat-jour me rappellent les lampadaires du parvis de l'hôpital. Ma chambre donnait sur le parvis, elle baignait la nuit dans une pâle lueur orange. La façade de l'édifice portait en lettres détachées, bien espacées, l'inscription : Centre hospitalier du pays d'Aix. Ma fenêtre était placée juste au-dessus de la lettre h, au premier étage. J'ai une espèce de nostalgie pour les journées passées à Aix, qui ont compté pourtant quelques moments difficiles. Je suis convaincu que les vieux soldats doivent regretter parfois les champs de bataille. Mes enfants sont arrivés à la veille de l'opération, ils se sont longuement entretenus avec le chirurgien dans son bureau. Je suis resté pendant ce temps dans la salle d'attente adjacente. J'étais dans un fauteuil roulant. À la place des magazines habituels, il y avait sur la table plusieurs livres, deux anciens Goncourt, des romans historiques, des policiers écrits par des femmes, le *Capitaine de quinze ans* de Jules Verne, *Alice au pays des merveilles* de Lewis Carroll, *Vendredi ou les Limbes du Pacifique* de Michel Tournier, qui donne sa propre version des relations de Robinson avec son serviteur. J'ai essayé de me souvenir d'autres textes illustres qui ont eu un prolongement sous la plume d'un autre auteur, j'ai trouvé L'*Odyssée* bien sûr, qui a été reprise par Joyce, *Les Aventures d'Arthur Gordon Pym* d'Edgar Allan Poe, dont la suite est racontée par Verne dans *Le Sphinx des glaces*, et *Le Dernier des Mohicans* de Fenimore Cooper, qui a donné à Dumas l'idée des *Mohicans de Paris*. Je n'ai ouvert aucun des ouvrages posés sur la table, j'étais incapable de lire. «Je n'ai jamais écrit que la suite de mes propres romans», ai-je pensé. Mes enfants sont restés très discrets sur leur échange avec le médecin, qui a bien duré vingt minutes.

— Ça va aller, m'ont-ils assuré, ce qui m'a paru un peu court.

Tout au long de ce séjour j'ai été au centre d'une intense activité à laquelle je ne comprenais pas grand-chose. Ma vie dépendait désormais d'une foule de personnes que je voyais pour la première fois et qui s'exprimaient dans un langage inconnu. J'étais devenu une sorte de cancre qui ne pouvait poser que des questions bêtes. J'ai tout de même tenu à comprendre le mot « anévrysme » puisqu'il était la cause de la douleur que je ressentais à la jambe. Bien qu'il soit grec, son sens n'était pas clair pour moi. Je n'étais pas sûr de son orthographe non plus : fallait-il l'écrire avec un *i* grec ? J'ai donc demandé un dictionnaire à une aide-soignante, qui a paru surprise mais qui ne m'a pas demandé d'explications. J'ai su par la suite qu'elle s'appelait Soraya et qu'elle était originaire d'Algérie. Peu après elle m'a apporté le *Petit Robert* qu'elle a déposé sur ma poitrine. Ce dictionnaire que j'utilise depuis trente-cinq ans et dans lequel j'ai puisé tous mes livres m'a paru soudain extrêmement lourd. J'ai eu peur d'étouffer sous le poids du vocabulaire français. Je me suis demandé combien de mots, en trente-cinq ans, j'avais regardés dans le *Petit Robert* ou dans le grand, car j'ai aussi un exemplaire du *Grand Robert* chez moi. Que représentaient-ils par rapport à l'ensemble ? Le tiers, peut-être ? « Le mot qui me tuera est sûrement dans le dictionnaire. » J'ai réussi à redresser le volume et à l'ouvrir. J'ai su donc que je souffrais d'une dilatation de l'artère et que le mot s'écrivait aussi bien avec un simple *i* qu'avec un *i* grec. Plus tard le chirurgien m'a dessiné un cours d'eau qui s'élargissait à un endroit formant une poche.

— Toutes sortes de saletés s'accumulent ici, m'a-t-il dit en remplissant la partie élargie de traits noirs, comme dans une rivière.

Il m'a encore expliqué que l'artère défaillante passait derrière l'articulation du genou.

— C'est plutôt rare ce qui vous arrive, a-t-il ajouté.

Cette constatation, qui aurait pu m'alarmer, m'a plutôt réjoui en fait, si grand est toujours mon désir de me détacher du nombre. Il n'était pas sûr encore que mon état nécessitait une opération, il n'en a eu la conviction qu'au bout de quelques jours, il m'en a fait part en fin de journée. Son expression était préoccupée. J'ai deviné tout de suite ce qu'il allait m'annoncer.

— Je vais vous opérer dès lundi, si les anesthésistes ne sont pas en grève.

C'était une période de grèves à la fois dans les hôpitaux, l'Éducation nationale, les transports. Cela a peut-être joué un rôle dans ma mésaventure, car le matin du jour où je devais me rendre à Aix afin de participer à un débat sur le roman organisé par la FNAC, j'avais dû louer une moto-taxi, ce qui était le meilleur moyen d'échapper aux embouteillages parisiens. Je ne vais pas accuser le motard qui m'a conduit gare de Lyon d'avoir provoqué mon anévrysme, il n'en reste pas moins vrai que j'ai commencé à avoir mal sur son véhicule, pendant qu'il zigzaguait comme un démon entre les voitures qui roulaient au ralenti sur les berges de la Seine. Dans la soirée, après le débat, lorsqu'on m'a amené aux urgences de l'hôpital, la douleur étant devenue pour ainsi dire insupportable, j'ai essayé de me souvenir du visage de cet homme. Je me suis rendu compte que je ne le connaissais pas, qu'à aucun moment il n'avait enlevé son casque, pas même en prenant congé de moi devant le beffroi. « C'était la mort, ai-je pensé. Elle ne montre jamais son visage. » J'ai exposé mon intuition à l'attachée de presse de la FNAC, une femme douce, mère de quatre en-fants, qui est restée avec moi jusqu'à minuit, heure à laquelle l'interne a pris finalement la décision de me garder.

— Vous lisez trop de romans, a-t-elle com-menté en souriant.

J'étais étendu par terre, devant ses pieds, je souffrais moins dans cette position.

— J'en ai lu beaucoup jadis, suis-je convenu. Je ne lis plus que les livres dont j'ai besoin pour écrire les miens, des actes de colloques, des annales, des annuaires.

Dans la nuit le motard est entré dans ma chambre. Je l'ai reconnu à son casque.

— J'ai oublié de vous demander une signature, a-t-il dit. Il me la faut pour me faire rembourser par votre éditeur.

Il m'a tendu une fiche. Il portait des gants énormes, comme ceux des joueurs de base-ball. J'ai tenté d'apercevoir ses traits à travers sa visière, mais je n'ai vu que mon propre visage.

J'aimerais garder un contact avec le chirurgien d'Aix, le revoir quand il vient à Paris, peut-être pourrais-je l'inviter à l'Auberge des Marionnettes ? Nous vieillirons ensemble, nous parlerons ainsi perpétuellement de mon opération.

— J'ai été très courageux, n'est-ce pas ? l'interrogerai-je régulièrement.

— Tu as été exemplaire, ironisera-t-il.

Mon verre reflète les arbres du jardin. Sur le panneau lumineux du bloc opératoire était fixée une radio haute d'un mètre environ qui représentait une silhouette, les mains et les pieds légèrement écartés, investie d'une espèce de racine aux ramifications innombrables. « Ça doit être moi », me suis-je dit.

Je ne finirai pas mon assiette. Quand il vient la récupérer, le serveur m'apporte un deuxième verre de vin, que je bois à l'extérieur, sur la terrasse. Je sors même quand il pleut, je me couvre la tête avec la capuche de ma parka. J'écoute attentivement la pluie : on dirait qu'une armée d'ombres marche sur le tapis de feuilles mortes. Il arrive que des gouttes d'eau tombent dans mon vin. Je trouve qu'elles le rendent meilleur, qu'il a meilleur goût mélangé à un peu d'eau de pluie. C'est sur cette terrasse que j'ai déjeuné avec Dimitris le jour de son départ pour la Grèce. Il faisait très beau, un moineau picorait des miettes de pain sur notre table. Sa mission était terminée puisqu'il m'avait ramené à Paris. On ne m'aurait pas laissé partir tout seul de l'hôpital si peu de jours après l'opération. Il pouvait donc rentrer, lui aussi. Je l'ai vu s'éloigner sous les arbres qui avaient encore des feuilles. Il a pris la direction de l'entrée opposée du jardin, celle qui donne sur le boulevard Saint-Michel. J'ai pu le suivre pendant longtemps, grâce à son sac à dos qui est rouge. J'ai songé qu'il portait son cœur sur le dos.

Je regarde à nouveau mon verre. De toute façon, je suis incapable de penser à autre chose qu'aux journées passées à Aix. Je revois sans cesse le film des événements, ma chute à la sortie de l'amphithéâtre où se tenait la réunion, l'ambulance. L'attachée de presse craignait que le service des urgences ne soit fermé à cause de la grève.

— Qu'est-ce qu'on va faire, s'il n'y a personne ? disait-elle. Vous ne voulez pas une autre aspirine ?

J'avais envie de mettre ma tête sous sa jupe et de pleurer. Je n'ai pas osé le lui demander, j'étais sûr qu'elle en parlerait autour d'elle et que, de fil en aiguille, ma démarche serait connue du milieu littéraire.

— Il veut maintenant se cacher sous les jupes des attachées de presse ! Vous ne trouvez pas qu'il vieillit mal ?

Peut-on devenir alcoolique à mon âge ? Mes parents ne buvaient guère, mais ils avaient un ami alcoolique qui était décorateur de théâtre, il s'appelait Ulysse Kotsakopoulos. Ils n'achetaient du vin résiné que lorsque Ulysse venait à la maison. Est-ce qu'on boit beaucoup chez Homère ? Je suis sûr en revanche qu'on boit énormément chez Dostoïevski, que j'ai lu assez jeune, avant mon départ pour la France. Les pirates de *L'île au trésor* lèvent volontiers le coude, ils chantent même quand ils ont un verre dans le nez. Les héros de

Dostoïevski ont le vin plutôt triste. Je n'ai pas envie de pleurer, ni de rire. Je ne cherche pas à oublier : je voudrais au contraire me souvenir. Et réfléchir aussi, sans doute, ce qui est un peu la même chose : mes pensées ne sont bien souvent que des rapprochements qu'opère ma mémoire.

Je vois sur mon verre l'homme âgé et la jeune fille. Si j'avais le courage je les prendrais en filature, je découvrirais leur maison dans le quartier et je me posterais en face, en attendant que la petite sorte seule, pour aller chercher du pain par exemple. Mais le vieux ne tarderait pas à me repérer – j'imagine sa grosse patte en train d'écarter un rideau de mousseline fine – et déménagerait aussitôt, avec sa protégée, dans un autre arrondissement. Le couple ne remettrait plus jamais les pieds au Luxembourg.

À force de fréquenter l'Auberge, le serveur finira peut-être par me questionner sur mon accident. Je serais prêt à lui montrer mes cicatrices s'il manifestait la moindre curiosité. J'en ai trois : la plus longue sur la jambe gauche à côté du genou, et deux autres sur la cuisse droite. Si j'ai bien compris, on a prélevé une veine côté droit pour la transplanter côté gauche. Je passe beaucoup de temps à regarder mes cicatrices, je les redécouvre chaque matin. Elles me paraissent bien plus intéressantes que n'importe quelle émission de télévision. Elles sont flanquées d'une double rangée de points rouges, laissés par les agrafes qu'on m'avait plantées à l'hôpital et qu'une infirmière est venue m'enlever à l'hôtel.

— Je vous jure que je ne vous ferai pas mal, répétait-elle à chaque agrafe.

Il y en avait quarante-deux. Mes cris sont parvenus jusqu'au gérant, malgré les cinq étages qui nous séparent.

Il ne me suffit pas de revivre mon opération, il me faut encore en parler. Il me semble que j'ai toujours eu tendance à étaler mes malheurs sur la place publique. Mes propres larmes ne me soulageaient pas suffisamment de mes chagrins, j'avais besoin de faire pleurer les autres. Mes amis, qui ont eu droit à un récit détaillé de mes péripéties, ont été moins émus que je ne m'y attendais. Certains d'entre eux ont subi des opérations plus lourdes que la mienne, au sujet desquelles ils sont d'ailleurs restés relativement discrets. Mon éditeur, à qui rien de fâcheux n'est jamais arrivé, a publié plusieurs témoignages de grands malades qui ont vécu véritablement un enfer, de sorte qu'il est enclin à considérer mon séjour à Aix comme une villégiature. Chaque fois que je tente de revenir sur le sujet, il me décourage implicitement :

— Mais tu te sens beaucoup mieux à présent ? dit-il.

Je le regrette presque. De jour en jour mes chances de susciter un véritable courant de sympathie dans la population diminuent. Charles m'a conseillé de mettre tout cela par écrit, ce qui, selon lui, serait la meilleure façon de clore définitivement ce chapitre. J'essaie, comme on le voit, de suivre son conseil, cependant le désir de m'épancher demeure intact. Je m'en suis rendu compte lors de ma deuxième ou troisième visite dans les toilettes du jardin, qui sont situées dans le sous-sol d'un pavillon isolé, non loin de l'aire de jeux pour les enfants. La dame qui veille sur la propreté de ce local a eu l'amabilité de me demander :

— Qu'est-ce qui vous est arrivé ?

J'ai été extrêmement touché, comme on l'imagine. Je lui ai expliqué par quel hasard je m'étais trouvé à Aix où je ne devais passer que trois heures et où, en fin de compte, je suis resté deux semaines, je lui ai raconté qu'on m'avait administré, la première nuit de mon hospitalisation, sept doses de morphine, je lui ai parlé de l'opération. Peut-être lui ai-je donné plus de détails qu'elle ne souhaitait en entendre, elle m'a néanmoins suivi avec attention jusqu'au bout et a déclaré, en guise de conclusion :

— Vous avez été bien éprouvé.

J'ai failli l'embrasser. Nos relations n'ont pas beaucoup progressé depuis, bien que je la voie presque tous les jours, car elle a habituellement fort à faire. Les toilettes sont certainement l'endroit le plus fréquenté du Luxembourg. Parfois l'escalier qui descend au sous-sol est plein de monde. Le prix de la visite est de quarante centimes. Gagne-t-elle bien sa vie ? Depuis quand occupe-t-elle ce poste ? Cela doit faire longtemps car elle a l'air de bien connaître le jardin et ses habitués. L'homme aux cheveux blancs qui se promène avec la jeune fille est un ancien bibliothécaire du Sénat.

— Si vous voulez connaître l'histoire du palais, vous n'avez qu'à l'interroger, il sait tout. Il m'a dit que Napoléon avait habité ici avec sa bien-aimée Joséphine et aussi le cardinal de Richelieu. J'ai été invitée au pot qu'il a offert pour son départ à la retraite. Il s'appelle Jean Meunier. Moi, je l'appelle « M. Jean ».

J'ai songé que le prénom de Valjean lui allait forcément très bien. Je me suis demandé si les mousquetaires de Dumas avaient fréquenté le Luxembourg. Je les ai imaginés en train de déjeuner à l'Auberge des Marionnettes. Le serveur se tenait constamment près de leur table comme pour prévenir leurs désirs mais en réalité pour mieux suivre leur conversation. « C'est un espion à la solde du cardinal. »

Quand elle a su que je m'intéressais aux souterrains, elle m'a révélé qu'il y en avait partout.

— Certains ont été creusés par les Allemands qui ont occupé les bâtiments pendant la guerre. Il y en a même ici, sous nos pieds, on peut y accéder par une trappe. Après les attentats qui ont eu lieu à Paris, rue de Rennes et à la station de RER Saint-Michel, les sénateurs ont pris peur des terroristes et ont fait installer des grilles dans les égouts.

Mes yeux se sont portés sur le tableau où sont accrochées plusieurs clefs. J'en ai vu une nettement plus grande que les autres, comme une clef de prison. « Elle ouvre la grille qui permet de passer dans les égouts », ai-je pensé.

Nous avons donc de temps en temps l'occasion de faire un brin de conversation. Elle parle volontiers du jardin, et même avec une certaine fierté.

— Il est connu dans le monde entier, a-t-elle affirmé. En été il accueille jusqu'à quatre-vingt mille visiteurs par jour.

Elle a fait l'éloge des fruits qui sont cultivés sur place et sont offerts aux pauvres, elle m'a appris qu'on y produit également du miel qui, lui, est vendu au public au début de l'automne.

— La pépinière et le rucher se trouvent dans le sud du jardin, vers la rue Auguste-Comte. Le miel aussi est bon, paraît-il, mais je n'y ai jamais goûté, savez-vous pourquoi ? Les abeilles négligent la petite source d'eau qu'on a créée exprès pour elles et préfèrent s'abreuver à la pissotière qui est réservée aux joueurs de boules.

Elle m'a raconté que lorsque la ruche manque de miel, les abeilles vont s'approvisionner dans les pâtisseries du quartier.

— Elles font irruption par milliers dans les boutiques, les pâtissiers les détestent, elles mettent en fuite leur clientèle. Certains ont dû se procurer des masques d'apiculteur.

Elle m'a dévoilé l'existence d'un kiosque à musique où jouent les meilleurs orchestres du côté du boulevard Saint-Michel. Une fois, elle a pris l'initiative de nettoyer mes béquilles avec une éponge. Nous ne nous sommes pas encore présentés, je ne connais pas son nom. Peut-être s'imagine-t-elle que je suis à la retraite ? Elle a quelques fils blancs dans ses longs cheveux noirs, un visage un peu pâle et une belle poitrine que je regarde avec plaisir quand elle a les yeux tournés ailleurs.

Je prends chaque jour un autre chemin pour sortir du jardin, j'emprunte des sentiers détournés qui traversent des buissons touffus, des parterres fleuris et des massifs d'arbres plus petits que ceux de l'allée principale et qui sont probablement des tilleuls. J'ai découvert ainsi un buste de la comtesse de Ségur, posé sur un piédestal. L'arrondi de ses joues donne de loin l'impression qu'elle est très jeune. Mais plus on s'approche d'elle, plus ses traits se creusent et ses rides s'accentuent. La comtesse vieillit à chaque pas. À trois mètres elle n'est plus qu'une dame âgée. Son buste me rappelle un de ses contes, où une petite fille découvre effrayée, le matin, qu'elle est devenue une femme. Je ne croyais pas beaucoup à ce genre d'histoire quand j'étais enfant. À présent je sais qu'on peut passer très vite d'un âge à un autre. La station de métro qui porte le nom de la comtesse est très proche de mon domicile parisien. Quand pourrai-je prendre à nouveau le métro ? Quand regagnerai-je mon studio dans le 15e arrondissement ? La Grèce me paraît encore plus inaccessible, elle n'a jamais été si loin en fait. Est-il toujours en service, « l'Acropole Express » qui faisait autrefois la liaison entre Paris et Athènes ? Il partait de la gare de Lyon. J'entends un agent de la SNCF m'annoncer que le dernier train pour Athènes est parti il y a vingt ans. Le jardin du Luxembourg est devenu mon nouveau pays. La sympathie que j'éprouve pour la dame qui s'occupe des toilettes me paraît bien naturelle : c'est une compatriote en quelque sorte.

2

Tous les gens que je connais ou presque sont venus me voir à l'hôtel, la première semaine. Puis, peu à peu, les visites se sont espacées. La semaine en cours, qui est la troisième, je n'ai vu qu'une amie qui tient un restaurant grec dans le quartier Saint-Sulpice et qui m'a apporté un sandwich. Elle a pris mes béquilles qui formaient un X dans l'angle de la petite table et du mur, et les a essayées en allant jusqu'au balcon.

— Combien tu les as payées ? a-t-elle voulu savoir comme si elle envisageait d'en acheter.

Je ne sais pas combien elles coûtent : c'est Alexios qui les a prises dans une pharmacie d'Aix. Je les ai utilisées la première fois en quittant l'hôpital. Alexios était déjà parti, son fils et son travail le réclamaient à Strasbourg, où il est en ce moment. *Le Sandwich* était le titre de mon premier roman, qui n'a jamais été réédité, ce qui est bien regrettable. Je me souviens que je donnais la longueur exacte de l'avenue des Champs-Élysées et que mon narrateur tuait sa femme et la découpait en morceaux. J'avais emprunté un personnage nommé Pipiou à un livre pour tout petits enfants et celui d'un méchant moine à Pénélope Delta, le plus célèbre auteur grec pour la jeunesse. Elle a écrit plusieurs romans historiques, teintés de nationalisme, inspirés par les guerres balkaniques. Son moine à elle était bulgare. Le mien était français. Cela m'amusait de réunir plusieurs genres littéraires dans le même volume, de tourner en dérision mes lectures. Je voulais en finir avec la littérature avant de commencer à écrire.

Je serais incapable de dire ce que je dois aux écrivains qui m'ont donné le goût de la lecture. Comment le savoir quand on a oublié la plupart des livres qu'on a lus et qu'on ne se souvient pas très bien des siens non plus ? J'ai probablement des dettes que j'ignore. Je n'ai gardé pour ainsi dire aucun souvenir des *Frères Karamazov*, roman que j'avais beaucoup aimé à quinze ans. Combien étaient-ils, d'ailleurs, ces frères ? Trois, peut-être, comme les mousquetaires ? Deux seulement ? À partir d'un moment, de mon quatrième roman je crois, j'ai eu la conviction que j'avais trouvé. Mais trouvé quoi ? Je me pose la question à chaque nouvelle phrase que je compose. Car elles sont bien à moi ces phrases, n'est-ce pas ? Ou je me trompe ?

Je regarde le *Petit Robert* posé sur le lit, à côté d'une liasse de lettres et de factures et d'un plateau en bois occupé par une tasse à café vide. Il s'agit de mon propre exemplaire, Dimitris me l'a apporté de chez moi. Je continue donc d'interroger le *Robert*, comme j'interroge pour d'autres textes le dictionnaire grec. J'ai le même rapport avec ces ouvrages que l'aveugle avec son chien : ils ont la gentillesse de me conduire là où je veux me rendre.

Au fur et à mesure que la journée avance, les heures deviennent de plus en plus longues. Il y a également, sur la couverture à carreaux brun clair et brun sombre, un bloc de correspondance et un crayon. Lorsque je me tourne ou que je bouge les pieds le paysage change, de nouvelles montagnes se forment, le crayon disparaît dans une gorge profonde. L'heure est marquée en chiffres lumineux en bas de l'écran de télévision, qui est éteint. Il n'est que dix-sept heures cinq. J'ai noté que le présentateur du journal de dix-sept heures trente sur la troisième chaîne termine depuis peu son émission par la recommandation « Prenez soin de vous ». S'adresse-t-il à moi ? Il ne disait pas cela avant mon hospitalisation. « Je mangerai le sandwich en regardant le journal de dix-sept heures trente. » Ma pipe repose dans le cendrier, sur la table de nuit, devant le téléphone. Les appels aussi ont diminué. Plus d'une fois le crayon a roulé par terre. Ne pouvant pas l'atteindre, je me suis contenté de l'observer en me penchant hors du lit. C'est un crayon rouge et or, bien taillé. Je ne sais plus ce que j'ai fait du taille-crayon. Il doit être sous les oreillers. Écrire est le plus souvent au-dessus de mes forces. Mon état de santé ne me permet pas d'effectuer cette gymnastique : c'est ce que je me dis, sans réussir à me convaincre cependant. Pour m'encourager à réagir, j'ai songé que je n'avais pas besoin de rédiger des phrases entières, que je pouvais très bien supprimer les mots qui se laissent aisément deviner. J'ai rêvé en somme d'un texte elliptique, très court forcément, qui pourrait s'intituler *La Descente aux*, mais je ne suis pas allé plus loin que ce titre. Commencer par un mot choisi au hasard m'a également tenté, le premier mot de n'importe quelle page du *Robert*, par exemple. Conscient qu'en ouvrant le dictionnaire avec la main je ne pourrais m'empêcher d'orienter mon choix sur une lettre, ou tout au moins sur un groupe de lettres, j'ai entrepris, afin d'assurer une impartialité parfaite à cette opération, de l'ouvrir avec le pied droit, dont les doigts sont nus. Je ne porte en effet de bas de contention qu'à la jambe gauche. Après avoir repoussé le *Robert* le plus loin possible, je me suis attelé à cette tâche qui m'a pris pas mal de temps et qui a été couronnée d'un fiasco car j'ai fini par faire tomber le volume sur le plancher, de l'autre côté du lit par rapport à celui où se trouvait déjà le crayon. Le bruit sourd de cette chute a longtemps résonné à mes oreilles. J'ai espéré qu'un dialogue s'engagerait dans la nuit, sous le lit, entre le crayon et le dictionnaire.

J'étais bien plus mobile à l'hôpital. Certes, j'avais quelques difficultés à m'installer sur le fauteuil roulant et à accrocher à la perche dont il était muni les deux poches de perfusion, contenant du sérum et de l'héparine, auxquelles j'étais relié. Mais une fois bien calé dans ce siège, je pouvais aller partout, je prenais l'ascenseur pour descendre au hall d'accueil qui me donnait accès à la cafétéria et au parvis, je faisais des pointes de vitesse dans les couloirs, je sortais sur la passerelle en plein air qui conduisait à un autre bâtiment et qui servait de fumoir aux infirmières, je parvenais même à ouvrir les lourdes portes qui débou- chaient sur la cage d'escalier. Je fumais derrière ces portes, dans les salles d'attente quand elles étaient vides, j'ai aussi fumé une nuit, la première, dans ma chambre, non sans avoir demandé la permission à Patrick, mon voisin.

— J'ai de l'asthme, mais allez-y. Ouvrez seu- lement la fenêtre.

Mon lit était à côté de la fenêtre. On m'avait interdit de me lever. L'infirmière qui entra dans la chambre le matin sentit le tabac.

— On a fumé ici, dit-elle.

Elle avait les yeux fixés sur moi car elle savait pertinemment que Patrick, hospitalisé depuis longtemps, ne fumait pas.

— Pas à ma connaissance, répondit Patrick sans ouvrir les yeux.

— C'est quand même un hôpital ici, me gronda-t-elle.

Son indulgence me rappela que j'étais dans le Midi où les interdictions, comme en Grèce, ne sont pas toujours appliquées. Je me suis dit que si j'avais fumé dans un établissement parisien on m'aurait mis à la porte, ou bien on m'aurait opéré sans anesthésie. D'une façon générale je cherchais à me convaincre que j'avais de la chance d'être là plutôt qu'ailleurs, que le sort, malgré le mauvais tour qu'il m'avait joué, m'était plutôt favorable. J'avais besoin d'espérer, un peu comme Robinson Crusoé qui, en dépit des apparences, refuse d'admettre qu'il a été lâché par la Providence. Un autre matin, j'ai découvert que l'infirmière en question était une fumeuse. Nous nous sommes retrouvés sur la passerelle. Elle était pressée de prendre sa retraite pour se consacrer à ses chats. Elle n'avait pas d'autre famille que la dizaine de chats qui habitaient chez elle. Son aspect était négligé, elle ne se maquillait pas, ne se teignait pas les cheveux qui étaient gris et mal coiffés. Elle portait des griffures sur les bras. Patrick avait la même affection pour ces animaux, mais n'en possédait qu'un seul. Peut-être n'avait-il pas les moyens d'en entretenir davantage ? J'ai eu assez vite la conviction qu'il n'était pas riche. Est-ce à cause de sa maigreur ? Il me mettait régulièrement en garde contre les voleurs qui entrent dans les hôpitaux aux heures de visite et profitent de la somnolence ou de l'absence momentanée des malades pour les dépouiller. Il demandait toujours à sa compagne, lorsqu'il l'avait au bout du fil, de lui passer son chat. Il se mettait alors à miauler et de temps en temps il se taisait, comme pour entendre la réponse. Son chat s'appelait Duc. Je l'entends encore le réclamer :

— Tu me passes Duc, s'il te plaît ?

Il ne conversait longuement qu'avec son chat.

Il restait muet la plupart du temps, même quand sa compagne venait le voir, une petite femme d'une soixantaine d'années, institutrice de son métier. Elle n'était guère prolixe, elle non plus. Le silence ne paraissait les gêner ni l'un ni l'autre. Apparemment ils avaient pris depuis longtemps l'habitude de se taire. Comment ai-je su qu'il était polonais ? Par les infirmières, je suppose. Depuis quand vivait-il en France ? Il connaissait et ne connaissait pas très bien le français, je veux dire qu'il faisait quelques fautes et que parfois il employait des mots fort rares. Le jour de mon départ de l'hôpital, il m'écrivit son nom et son adresse sur la première page de mon bloc de correspondance. Son écriture était maladroite, j'ai dû redessiner plusieurs lettres pour la rendre lisible. Il habitait un village de la région d'Aix et son nom de famille, malgré sa longueur, ne comportait qu'une seule voyelle. Il me fit tout de même cette confidence qu'il ne rêvait plus.

— Avant je rêvais beaucoup, me dit-il, je faisais des rêves qui duraient plusieurs nuits. J'avais hâte de m'endormir. Mes nuits sont devenues comme des cinémas désaffectés où l'on ne passe plus aucun film.

Il faut croire qu'il avait aussi perdu la capacité de faire des cauchemars car, vers onze heures du soir, il suivait sur une chaîne de télévision dont j'ignorais jusque-là l'existence les aventures de monstres hybrides, issus des profondeurs de la terre ou tombés du ciel, qui s'entre-tuaient avec une férocité inouïe. Ils s'éventraient, se décapitaient, faisaient couler le sang à flots. À aucun autre moment il n'allumait la télé, seuls ces massacres le captivaient. Ses journées s'achevaient par une hécatombe. Son téléviseur étant placé à côté du mien, je jetais forcément un coup d'œil de temps en temps sur ces films. Ils m'écœuraient, bien entendu, me faisaient songer aux horreurs dont le bloc opératoire était sans doute le théâtre. Je ne me suis cependant jamais plaint à Patrick des spectacles qu'il m'imposait à cause de la compréhension dont il avait fait preuve la première nuit. Quant à la télé qui m'était réservée, je ne m'en suis jamais servi. Je n'étais plus curieux des nouvelles du monde, le problème auquel j'étais confronté avait éclipsé tous les drames de la planète. En prenant congé de Patrick, je lui ai promis de lui envoyer un de mes livres. Il était au courant de mes activités, sans doute par le personnel qui avait eu connaissance d'un article sur moi paru dans le journal local le lendemain de la réunion de la FNAC. Je lui adresserai *Le Sandwich*, dont il me reste quelques exemplaires : il appréciera en connaisseur la façon dont mon narrateur se débarrasse de son épouse.

Si j'ai la nostalgie de l'hôpital, c'est surtout parce que j'y étais davantage entouré qu'ici. Il y avait la légion des infirmières et des aides-soignantes, Jean-Claude et le vieux Chinois qui conduisaient les malades sur leur lit jusqu'à la salle d'opération, il y avait Patrick et les autres patients que je croisais dans les espaces communs accompagnés des membres de leur famille. On ne se parlait pas beaucoup entre malades, comme si l'on avait chacun suffisamment d'ennuis pour ne pas prendre en compte ceux des autres, mais on se dévisageait avec sympathie. Je m'imaginais que je souffrais d'un mal moins grave qu'eux et en même temps infiniment plus intéressant. Je me souviens d'un jeune homme qui avait perdu le bras droit et qui avait le visage à moitié brûlé. J'appris par hasard qu'il avait été victime d'une explosion dans une carrière en plein air près de Marseille.

Et puis, à partir du troisième ou du quatrième jour, il y a eu mes enfants. J'ai vite constaté que mon état de faiblesse m'avait privé de mon rôle habituel, que j'avais perdu l'assurance qui me permettait naguère de leur prodiguer des conseils. J'étais une espèce d'enfant et eux étaient soudain devenus des adultes. Leur présence suffisait à me rassurer comme autrefois celle de mes parents et de mon frère aîné. À l'hôpital d'Aix j'ai fait cette découverte que j'avais encore une famille. Nous passions une partie de la journée sur le parvis, eux assis sur les cubes en béton qui meublaient cet espace afin de tenir les voitures à distance, moi dans mon fauteuil. Un matin, le chirurgien est apparu à une fenêtre et nous a réprimandés en pointant son index vers nous parce que nous fumions. Il souriait cependant, comme s'il ne souhaitait pas gâcher notre plaisir. Le temps était splendide. Le soleil de Grèce s'était installé dans le ciel d'Aix. J'avais l'impression que nos ombres faisaient plus de mouvements que nous, qu'elles étaient animées d'une vie propre. Nous n'étions pas pressés. Nous n'avions pour ainsi dire rien à faire de la journée, les infirmières ne réclamant ma présence que tôt le matin et en fin d'après-midi. Certains jours nous déjeunions à la cafétéria. Nous ne nous ennuyions guère car chaque instant était précieux, lourd de sens, exceptionnel. J'observais mes enfants pendant qu'ils roulaient leurs cigarettes, comme fasciné par l'agilité de leurs doigts. Je vivais si intensément le présent que rien ne me manquait. Les rares moments où je restais seul, je regardais le va-et-vient des fourmis sur les dalles. Elles ne s'arrêtaient pas lorsqu'elles se rencontraient, on aurait dit qu'elles ne se connaissaient pas. Parfois cependant elles tombaient nez à nez, alors elles hésitaient, elles avaient l'air de se demander si elles allaient se croiser du côté gauche ou du côté droit. La crainte de tout perdre m'avait rendu attentif à tout. Alexios avait pris la décision de divorcer. Son fils a à peu près le même âge que lui à l'époque où je me suis séparé de sa mère. Nous évoquions son divorce et aussi la pièce de théâtre que Dimitris venait d'achever et qui allait être représentée au début de l'année suivante à Athènes. Nous étions à la mi-octobre. Nous posions sur un troisième cube de béton nos cafés et une boîte de gâteaux aux amandes, les fameux calissons d'Aix. Ils me parlaient de la ville, que je n'avais pas eu le temps de visiter, du cours Mirabeau qui est bordé exclusivement de banques d'un côté et de cafés de l'autre, du vieux café Les Deux Garçons où se retrouvaient Cézanne et Zola, d'une fontaine en forme de roche, couverte de verdure, qui a l'air d'une grosse éponge. Une aile de l'hôpital portait le nom de Cézanne.

Je n'ai pu avoir un aperçu d'Aix qu'en quittant la ville, à travers les vitres du taxi. J'ai eu la chance de tomber sur un chauffeur d'origine grecque, M. Grégoriadès. Aussi ravi que moi de faire la connaissance d'un compatriote, il a tenu à m'offrir une promenade à travers le centre. J'ai pu voir ainsi la double rangée de banques et de cafés.

— C'est une ville paresseuse et riche, me dit-il d'un air philosophe.

Il ne parlait pas un mot de grec et ne connaissait pas le pays de ses ancêtres. Son père, en s'expatriant, avait rompu les ponts avec le passé, il n'avait plus jamais remis les pieds en Grèce. Il existe comme cela des gens qui ne se contentent pas de quitter leur pays et qui le tuent. Le chauffeur entretenait cependant le rêve de se rendre un jour à Athènes et dans le Péloponnèse, puisque son père était du Péloponnèse.

— On a peut-être encore de la famille là-bas.

Il vantait Aix avec fougue, son climat, ses universités que fréquentent ses enfants, ses belles promenades et même sa moralité, car il n'y a pas de prostituées en ville, m'a-t-il certifié. Je suppose qu'on est toujours fier des lieux où on a ses habitudes. Je l'écoutais distraitement, car j'étais content de partir, de vivre la fin de mon aventure. J'ai trouvé le trajet trop long jusqu'à la gare, qui est située à des kilomètres du centre, en pleine campagne. Dimitris était assis sur la banquette arrière, il tenait mes béquilles et la bouteille de vin qu'il s'était procurée. Au moment de régler la course, Grégoriadès m'a prié de ranger mon argent.

— Je me ferais honte si je l'acceptais, me dit-il.

Son attitude m'a vivement impressionné et j'ai tenu à le lui faire savoir.

— Vous êtes un homme remarquable, monsieur Grégoriadès ! lui ai-je déclaré.

Nous avons échangé nos numéros de téléphone, Dimitris lui a passé le sien à Athènes.

— On se reverra probablement dans quelques mois, ai-je ajouté.

Il est prévu en effet que je retourne à Aix, cette fois-ci pour une conférence à l'université. Cette proposition m'a été faite par une professeure, amie de mon éditeur, qui était venue me voir à l'hôpital. J'ai accepté avec quelque appréhension, certes, mais je ne le regrette pas. Cela me donnera la possibilité de revoir mon chirurgien et de lui montrer les progrès que j'aurai accomplis d'ici là. Je n'aurai plus besoin de mes béquilles, j'imagine. Je traverserai le couloir qui mène à son bureau d'un pas alerte. J'ai bien envie aussi de revoir le personnel soignant. Si j'avais les moyens, j'inviterais tout le monde à prendre un verre aux Deux Garçons. Aurai-je la curiosité de pousser la porte de ma chambre ? À la fin de ma visite, je me reposerai quelques instants sur l'un des cubes en béton du parvis. J'espère qu'il fera beau et que je verrai les ombres de mes enfants par terre.

Ils sont arrivés un matin, les deux ensemble, comme au temps où ils étaient beaucoup plus jeunes et où ils passaient chez moi, dans ce studio précisément où je ne peux pas me rendre en ce moment, les week-ends. Je chassais de mon esprit mes préoccupations ordinaires, relatives à mon travail, quand ils arrivaient. Jamais je ne faisais cet effort du temps où je vivais avec eux et leur mère. Je n'ai pris conscience que je pouvais avoir du plaisir en leur compagnie qu'en m'éloignant d'eux. Nous buvions des chocolats glacés en regardant la télévision étendus par terre sous la même couverture. Il me semble qu'Alexios prenait habituellement la place du milieu. Il s'appropriait d'office le jouet en plastique qui se trouvait au fond de la boîte de chocolat en poudre. Était-ce une voiture ? un personnage ? Parfois nous allions au cinéma ou au restaurant, mais le plus souvent nous restions chez moi et je leur faisais la cuisine. Le lit le plus confortable étant celui de la mezzanine, nous l'occupions à tour de rôle. Le dimanche matin nous nous battions sur ce même lit. Les cloches de l'église Saint-Léon sonnaient la fin des rounds. Comme les catcheurs, nous avions pris des pseudonymes. Je n'ai retenu que celui d'Alexios : il était Bima l'Invincible. Si nous nous battions aujourd'hui, la victoire lui reviendrait probablement : son métier de constructeur de décors lui impose des efforts physiques considérables. Il a fini par mériter en somme le surnom de son enfance. J'essayais de leur apprendre le grec à partir d'un livre de nouvelles de Costas Taktsis, qui est resté à la même place dans la petite bibliothèque de la mezzanine depuis cette époque. Cela s'appelle *Ta resta* et a été traduit en français sous le titre *La Petite Monnaie* : il s'agit plutôt de la monnaie qu'on vous rend à la caisse. À Aix nous parlions tantôt en grec, tantôt en français. Alexios connaît moins bien le grec que son frère, qui vit à Athènes depuis dix ans.

Notre dernière réunion à trois ne remontait pas à si loin en fait : nous nous étions retrouvés, trois ans plus tôt, dans un autre hôpital, à Jannina, au chevet de mon frère. Nous songions forcément beaucoup à Aris sur le parvis de l'hôpital d'Aix, d'une certaine manière il faisait lui aussi partie de la bande, mais nous évitions d'évoquer sa disparition. Nous nous efforcions de donner un tour léger à nos conversations, nous nous croyions un peu en vacances. Le soleil approuvait cette illusion. Je me demandais cependant ce que disaient mes enfants quand je n'étais pas avec eux, la nuit, lorsqu'ils quittaient l'hôpital.

Ils partaient fort tard en général, nous avions repéré une porte du côté des urgences qui restait ouverte toute la nuit. Je les accompagnais jusqu'à cette porte puis je retraversais le hall d'accueil qui était immense : c'est là que se tenaient certains matins les assemblées générales du personnel. À onze heures du soir il était absolument désert. Une nuit cependant j'ai croisé au milieu de cet espace un petit enfant qui avançait à quatre pattes. J'ai arrêté mon fauteuil en arrivant à sa hauteur. Il portait un pantalon à bretelles et une chemise à carreaux. Lui ne m'a prêté aucune attention. Comme je n'avais vu personne au fond du hall vers lequel il se dirigeait, j'ai pensé que je rencontrerais fatalement un adulte plus loin. Mais il n'y avait personne du côté des portes vitrées de l'entrée, qui étaient d'ailleurs fermées. D'où venait-il donc ? et où allait-il ? Je me suis demandé si cette rencontre était de bon augure : j'allais être opéré le lendemain. Plus tard, j'ai songé qu'il était certainement le fils du gardien de nuit, qui occupait une petite pièce sur le devant du bâtiment, à droite de l'entrée.

J'ai été étonné par le nombre de personnes qui entouraient le chirurgien. Je me suis cru dans une de ces réunions littéraires qu'organisent les grandes librairies et qui sont essentiellement suivies par des femmes. Dans le bloc opératoire les femmes étaient, justement, largement majoritaires. Allais-je devoir expliquer une fois de plus pourquoi j'ai écrit certains de mes livres en français, pourquoi j'envisage les langues comme des héroïnes de roman, ou encore sur quoi je fonde l'affirmation que mes œuvres sont des produits imaginaires alors que leur caractère autobiographique paraît plus évident ? Le chirurgien m'a présenté ses assistantes, deux blondes, l'une d'une cinquantaine d'années, l'autre nettement plus jeune.

— Je les aime toutes les deux ! m'a-t-il annoncé en riant.

J'étais quasiment nu sur mon lit.

— Nous pourrions dîner tous les quatre en ville, après l'opération, ai-je suggéré.

Elles étaient déjà occupées ailleurs, nous tournant le dos.

— Excellente idée !

Je l'ai vu, non sans anxiété, chausser des lunettes qui ressemblaient à des jumelles de théâtre. « J'écris toujours la même histoire, ai-je pensé. Je persévère parce que je ne comprends pas ce qu'elle signifie. J'écris pour connaître le fin mot de l'histoire. »

— Je connais un très bon couscous, a-t-il dit encore.

Je l'ai à peine entendu. L'anesthésie commençait à faire son effet. J'ai tourné les yeux vers la radio de mes artères sur le tableau lumineux. Elles avaient l'air en parfait état. Pourquoi donc allait-on m'opérer ? Malheureusement, je n'étais plus en mesure de signaler au chirurgien que Jean-Claude et le Chinois m'avaient conduit là par erreur. Le dernier effort que j'ai pu faire a consisté à essayer de me rappeler une chanson : ce fut impossible. Pas la moindre note ne m'est venue à l'esprit, pas la moindre parole. Je me suis dit que j'étais en train de prendre congé de la musique.

Je n'ai eu vraiment peur que la nuit qui a suivi. Je me suis réveillé une première fois en fin d'après-midi, trois heures après l'intervention. Mais je n'ai été en mesure d'échanger que quelques mots avec mes enfants, qui comptaient aller au cinéma ce soir-là, après quoi je me suis rendormi. J'ai ouvert à nouveau les yeux dans la nuit, sous l'effet de la lumière qui inondait la chambre, une lumière aussi forte que celle de la salle d'opération. Elle était due, comme je l'ai su un peu plus tard, aux projecteurs qu'on avait installés à l'extérieur pour les besoins du tournage d'une scène de film. Patrick, qui avait été opéré en même temps que moi, dormait profondément, la bouche ouverte. En regardant encore vers la fenêtre, j'ai eu la mauvaise surprise d'apercevoir la tête de l'acteur Jean Reno, que je n'ai jamais vu au cinéma que dans des rôles détestables. Il fixait sur moi ses petits yeux. Ses oreilles, éclairées par-derrière, avaient pris la couleur du feu. Était-il armé, comme à son habitude, d'un gros calibre muni d'un silencieux ? Comment s'était-il hissé jusqu'au premier étage ? Avait-il utilisé une échelle ? Était-il suspendu à une corde ? Ce fut l'unique fois où j'ai appelé l'infirmière de nuit. Quand elle est arrivée, Jean Reno avait disparu. Elle m'a expliqué que l'hôpital avait consenti à ce tournage pour renflouer ses caisses. Elle approuvait cette politique, qui lui avait donné par ailleurs l'occasion d'obtenir un autographe d'un acteur aussi connu.

— Savez-vous combien coûte une opération comme celle que vous avez eue ? Cinquante mille euros ! m'a-t-elle informé.

J'ai appris ainsi que je venais de passer la journée la plus onéreuse de mon existence. Avant de me quitter, elle a insisté pour que je prenne les deux cachets de Doliprane qu'elle m'avait laissés sur la table roulante.

Le lendemain matin j'ai mangé de bon appétit la tartine beurrée qui m'était impartie. J'aurais préféré du beurre demi-sel, mais il n'y en avait pas. Dostoïevski se plaint continuellement dans sa correspondance de manquer de ceci, de cela. J'ai lu ses lettres quand j'étais étudiant, j'étais persuadé qu'il compatissait à mes petites misères. Une infirmière m'a fait une piqûre dans le ventre. Je ne peux pas jurer que j'ai eu vraiment mal, le fait est que cela ne m'a pas plu du tout. Elle m'a annoncé qu'elle continuerait à me piquer matin et soir par mesure de précaution, en attendant le résultat de mes analyses de sang. Cette sinistre nouvelle n'est pas parvenue cependant à assombrir mon humeur, qui était naturellement excellente. J'ai fait signe à Jean-Claude qui passait dans le couloir de venir m'aider à m'installer dans mon fauteuil. Je le connaissais un peu, c'était lui qui avait pris l'initiative de me procurer ce fauteuil dès ma première matinée à l'hôpital. Il était trapu et avait une face ronde à l'expression joviale. On aurait dit qu'il prenait du plaisir à faire son métier. Il m'a littéralement soulevé, comme un bébé, car j'étais incapable de faire le moindre mouvement. Nous avons eu tous les deux le fou rire pendant qu'il me posait sur le siège et qu'il me couvrait le dos avec ma parka.

— Il fait froid dehors, m'a-t-il prévenu.

Il était six heures et demie du matin. Il avait deviné que je voulais me rendre sur la passerelle pour fumer ma pipe, ce qui ne m'était pas arrivé depuis vingt-quatre heures. Patrick dormait toujours. Ai-je dit qu'il était très grand ? Sa tête et ses pieds touchaient les barreaux qui bordaient les extrémités de son lit. On l'avait opéré de l'intestin, c'était la seconde opération qu'il subissait à cet endroit, la première avait eu lieu trois ou quatre semaines plus tôt, on lui avait enlevé une tumeur. Il portait un énorme pansement sur le ventre.

Chemin faisant, Jean-Claude m'a avoué qu'après avoir lu l'article me concernant dans le journal, il avait parcouru ma biographie sur internet.

— Vous êtes le premier écrivain vivant que je rencontre ! a-t-il conclu avec emphase.

Au lendemain d'une grosse opération, l'adjectif « vivant », même quand il paraît superflu, fait plaisir à entendre. Il est resté un bon moment avec moi sur la passerelle : il avait besoin de parler. Il m'a raconté qu'il voulait devenir artiste quand il était gosse, mais qu'il n'avait de talent ni pour le dessin, ni pour la musique, ni pour le théâtre.

— Je me suis essayé à la photo, j'ai pris des cours, mais j'ai vite réalisé que je n'étais pas doué pour cet art non plus. Un jour je photographiais les choses de trop près, ce qui les rendait méconnaissables, un jour de trop loin, de sorte qu'on n'y voyait rien. Je savais toutefois que j'avais, tout petit déjà, des dispositions pour la décoration, pour la répartition des meubles dans une pièce ou des bibelots sur une étagère. Je souhaitais tout changer dans l'appartement où j'ai grandi, je critiquais même l'emplacement des portes et des fenêtres.

Tout en l'écoutant, je surveillais du coin de l'œil le long couloir que nous venions de traverser et où le chirurgien pouvait apparaître à tout moment.

— Vous auriez dû faire de l'architecture, ai-je remarqué.

— Ce n'était pas envisageable dans mon milieu. Et puis j'étais un élève très médiocre. Je voulais cultiver ce don de la décoration, mais je ne voyais pas comment, jusqu'au moment où je suis tombé en extase devant une lessive qui séchait au soleil, dans un jardin. Il y avait de tout, des draps, des chaussettes, des pyjamas, des chemises, une cravate jaune canari et un soutien-gorge rose bonbon. J'ai décidé instantanément de me lancer dans cette voie, dans la création de tableaux semblables. J'ai mis mes économies dans l'achat d'une parcelle de terrain au bord de la nationale 7 qui va à Cannes, où j'expose régulièrement, entre deux piquets assez élevés, du linge de mon choix. J'achète des vêtements que je ne porte jamais, juste parce qu'ils s'accordent bien avec la nouvelle composition que j'ai en tête. J'affectionne particulièrement les sous-vêtements aux tons pastel et les pantalons noirs : j'aime bien voir leurs jambes s'agiter sous la pression du vent, ils me font songer à des coureurs immobiles. Je possède une belle collection de pinces à linge, les rares fois où je vais à l'étranger je n'achète que des pinces à linge. L'homme qui tient la station-service à deux cents mètres de ma parcelle m'a assuré que des automobilistes s'arrêtent pour photographier mes œuvres. Il faut dire qu'on aperçoit derrière mon linge, au fond de l'horizon, la montagne Sainte-Victoire, immortalisée par Cézanne.

— Vous n'êtes pas seulement devenu un artiste, vous avez en plus créé un art nouveau ! l'ai-je complimenté.

J'ai caché précipitamment ma pipe dans la poche de ma parka car la porte donnant accès à la passerelle venait de s'ouvrir. C'était le vieux Chinois.

— Mais qu'est-ce que tu fous là, Jean-Claude ? s'est-il étonné. On te cherche partout !

— Est-ce que vous signez vos œuvres ? ai-je encore eu le temps de demander à l'artiste.

— Au bout de la corde il y a un petit carton où figurent mon nom et mon numéro de portable. Il est attaché avec des pinces à linge, naturellement.

Je suis descendu ensuite sur le parvis, je tenais à recevoir là mes enfants pour leur signaler d'emblée que je m'étais bien remis du choc chirurgical. Il ne restait nulle trace du tournage de la nuit précédente. Quelle était donc l'actrice qui donnait la réplique à Jean Reno ? J'ai rêvé un instant que j'avais aperçu dans l'encadrement de ma fenêtre non pas sa tête à lui, mais un joli visage de femme. J'ai d'abord vu venir le chirurgien qui m'a confié qu'il avait rarement eu l'occasion d'intervenir sur l'artère poplitée et que l'opération avait duré plus longtemps que prévu, environ trois heures et demie. La veine qui avait servi au pontage était heureusement en très bon état. Il a fait la moue lorsque je lui ai demandé quand je pourrais reprendre l'avion.

— Dans trois mois vous aurez à passer un contrôle de l'artère greffée. On verra après pour l'avion. Vous voulez vous rendre en Grèce ?

— Et en République centrafricaine. J'ai des amis là-bas.

Il m'a expliqué que si la crise que j'avais eue à Aix était survenue en Afrique, on aurait dû me couper la jambe pour m'éviter une gangrène généralisée.

— Dans quelques mois vous pourrez galoper comme vos fils, a-t-il ajouté en s'éloignant prestement.

Y a-t-il dans le roman d'aventures d'autres unijambistes que Long John Silver ? C'est à lui néanmoins que j'ai aussitôt pensé, ensuite je me suis trouvé dans une chambre d'hôtel de Bangui couché dans un lit au bord duquel avait pris place une jeune fille de toute beauté. Elle était en train de coudre la jambe gauche de mon pantalon à mi-cuisse.

— Vous avez une idée de ce qu'ils ont fait de ma jambe ?

— Ils l'ont probablement vendue à un éleveur de rhinocéros.

— Vous êtes sûre que les rhinocéros mangent de la viande ?

J'avais posé mes jambes, qui n'étaient habillées que de mes pansements, sur un bloc de béton. Je les regardais, tantôt l'une, tantôt l'autre – à dire vrai, plus souvent l'une que l'autre. Je n'ai pas tout de suite reconnu Soraya, elle portait un long manteau noir, je ne l'avais jamais vue qu'en tenue de travail.

— Ça va mieux, on dirait.

Elle m'a proposé de m'offrir un café, elle est allée m'en chercher un au distributeur automatique du hall d'accueil. Elle non plus n'a pas voulu de mon argent.

— Vous plaisantez.

Elle avait l'accent du Midi. Elle était née à Aix d'un père algérien et d'une mère française qui avaient divorcé depuis longtemps. Elle aussi s'était séparée de son mari, dont elle avait une fille d'une dizaine d'années. Je l'ai imaginée étendue sur le lit de la mezzanine. J'étais en train de retirer mon pantalon.

— Je n'ai qu'une jambe, l'ai-je prévenue.

— Ça ne fait rien. J'ai l'habitude.

Puis j'ai parlé avec le gardien de nuit qui s'en allait.

— J'ai vu votre fils dans le hall, un soir.

Je n'ai pas pu me souvenir quand j'avais croisé l'enfant.

— C'est un fantôme que vous avez vu, m'a-t-il dit. Mais rassurez-vous, vous n'êtes pas le seul : d'autres malades ont rencontré le même enfant qui marche à quatre pattes, dans le hall ou dans les étages. Tous les hôpitaux ont leur fantôme. Il s'agit le plus souvent d'une très vieille femme, parfois d'un nain ou d'un Noir. Le nôtre est un enfant.

— Il portait une chemise à carreaux, ai-je précisé.

— Je sais.

Mes enfants sont arrivés quand il a commencé à faire jour. Ils n'avaient pas été au cinéma mais au restaurant, dans un couscous.

— Il paraît qu'il y a un très bon couscous en ville, leur ai-je dit.

— Il était très bon, en effet, ont-ils confirmé.

J'avais les jambes gelées. Nous sommes allés à la cafétéria. « Je l'ai pourtant bien vu, cet enfant », ai-je pensé en traversant le hall. Nous avons fêté le rétablissement de mon artère en mangeant des croissants. Je n'ai pas eu la curiosité de regarder dans le dictionnaire l'adjectif « poplité ».

Ai-je assez dit que les dernières heures du jour durent une éternité ? Combien de temps gagnerais-je si je prenais une douche ? Une demi-heure, peut-être ? Je me lave assis par terre, sur la mosaïque noire de la petite cabine, les jambes à l'extérieur pour éviter de les mouiller. Je les maintiens à une certaine hauteur à l'aide d'un tabouret que m'a fourni le gérant de l'hôtel. La sortie de la cabine est assez pénible, je m'accroche où je peux pour me relever, au porte-serviettes, au rebord du lavabo, à la cuvette des W.-C., je me suis appuyé une fois sur le balai des chiottes. Le souci de ménager mes plaies m'incite à la plus grande prudence. Mais je me sens trop fatigué pour me laver. Je ne ressemble guère aux héros de mon enfance qui n'avaient peur de rien et dont le courage était stimulé par leurs déconvenues mêmes. Comme je tremblais davantage qu'eux devant les périls qui les menaçaient, ma joie était plus grande que la leur quand ils se tiraient d'affaire. Les romans d'aventures ne m'ont pas guéri de mon indolence. Je les lisais habituellement couché dans mon lit, dans une attitude de parfait repos. J'étais très attaché à leurs personnages, dont je suivais avec passion les péripéties, cependant je me sentais bien incapable de faire le même métier qu'eux. Je devinais que mes exploits à moi ne pourraient être qu'imaginaires. Mes chers héros ne m'ont pas donné le goût des aventures, mais celui des histoires.

En sortant de la salle de bains je me figure quelquefois que je viens d'essuyer une tempête monumentale comme celle qui a brisé le bateau de Robinson Crusoé. Je vois ce personnage escaladant les rochers qui bordent son île absolument exténué, comme je le suis en regagnant mon lit. Je me rends compte qu'on peut se sentir fatigué même quand on ne fait rien, que le désœuvrement est un genre d'activité. N'est-ce pas une occupation que de porter ses yeux tantôt ici, tantôt là ? De mettre ses lunettes, puis de les enlever ? On voit tant de choses en une journée qu'il est normal, je trouve, qu'on ait les yeux éreintés en soirée.

Long John Silver n'est pas le seul personnage de fiction qui me soit venu à l'esprit à Aix. Patrick ressemblait à Don Quichotte, tel du moins qu'il était représenté dans la collection des « Classiques illustrés ». Les films qu'il affectionnait auraient peut-être retenu l'attention du Chevalier à la Triste Figure. Comme il n'avait le droit ni de manger ni de boire après son opération, il déclinait de jour en jour. Plus d'une fois j'ai cru qu'il était mort. Un matin cependant il a fait un pet monumental, à la suite de quoi il a crié :

— J'ai pété !

Il a téléphoné à sa compagne et à plusieurs de ses amis pour leur annoncer la nouvelle. Puis il a convoqué les infirmières.

— J'ai pété ! ne cessait-il de répéter d'une mine réjouie.

C'était effectivement une grande nouvelle, puisqu'elle signifiait que son intestin fonctionnait à nouveau et qu'il allait pouvoir s'alimenter enfin. Il était surexcité, il a tenté de se lever. Les infirmières et Jean-Claude qui avaient accouru l'en ont empêché.

— Mais tu es devenu fou ! lui a dit Jean-Claude.

J'ai remarqué qu'il regardait avec intérêt le slip vert amande de Patrick.

3

Ils sont tous là, les héros d'antan : ils occupent tout un mur, en rangs serrés, répartis sur plusieurs niveaux comme les livres dans une bibliothèque. Ils sont suspendus par le cou aux encoches en forme de demi-cercle pratiquées dans des barres de bois. Je reconnais Don Quichotte, d'Artagnan, Cyrano, Robinson, Long John Silver, Tarzan, Michel Strogoff, Robin des Bois, Zorro. Le petit garçon vêtu de guenilles pourrait bien être Oliver Twist et l'Indien à l'expression sévère et aux yeux tristes le dernier des Mohicans. Je ne vois pas Jean Valjean, mais il est sûrement quelque part. Il y a des figures historiques, comme Napoléon, Richelieu et Jeanne d'Arc, et aussi des personnages qui ne me rappellent rien, des reines, des bourreaux, des sorcières. Je n'aperçois qu'un seul Noir : est-ce Vendredi ? Est-ce l'oncle Tom ? Est-ce Hercule, l'ami du capitaine de quinze ans ? J'ai devant les yeux tout un peuple de poupées. Elles sont à peine éclairées, cependant elles sont habillées de couleurs si vives et leurs traits sont si marqués que je les distingue parfaitement. J'imagine qu'elles doivent être visibles même dans le noir, à la manière dont le sont les rêves.

Le mur en question est celui du fond du castelet, c'est-à-dire du local où opèrent les marionnettistes. Il s'agit d'une officine minuscule, à peine plus grande que mon studio du 15ᵉ arrondissement. Comment ai-je réussi à m'introduire dans ce sanctuaire ? Ce ne fut pas difficile : j'ai déclaré à Odile, la femme que je rencontrais à l'Auberge des Marionnettes et qui me saluait à peine, que je comptais évoquer son art dans mon prochain roman. Elle croyait que je faisais partie de ces professeurs hautains qui enseignent dans les célèbres établissements du quartier et qui tous, semble-t-il, méprisent les marionnettistes. C'est elle qui anime le théâtre de Guignol, qui constitue une entreprise familiale puisqu'il a été fondé par son grand-père en 1933 et dirigé par son père jusqu'en 1987.

— La première pièce que mon grand-père a jouée était inspirée des aventures de Don Quichotte, m'a-t-elle dit.

J'assiste aujourd'hui aux péripéties du chat Minouchet. On m'a fait une place au milieu du castelet, à égale distance du mur du fond et de la scène, une ouverture large de trois mètres située à un mètre soixante-dix du sol. Les marionnettistes jouent dissimulés derrière ce mètre soixante-dix, les bras tendus en l'air, les mains enfouies dans les figurines qu'ils portent un peu comme des gants. La scène étant placée dans tous les théâtres à cette hauteur, qui assure une bonne visibilité au public, il s'ensuit que le métier de manipulateur ne peut être exercé que par des gens plutôt petits. C'est le cas des deux partenaires d'Odile. Quant à elle, elle parvient à atteindre le bon niveau grâce à ses chaussures à talons, que j'avais déjà remarquées, et qui ajoutent à sa taille les dix centimètres qui lui manquent. Tout est petit ici, en fait. Les marionnettes ne mesurent que cinquante centimètres, ce qui explique qu'elles ne peuvent se produire que devant des salles exiguës. Elles ne sont pas bien lourdes, leur tête étant taillée dans du bois de tilleul, qui est connu pour sa légèreté. Il semble néanmoins qu'il est très fatigant de les tenir à bout de bras pendant une heure. Le plus âgé des deux hommes, qui joue Gnafron, a le bras droit soutenu par une pièce de bois attachée à son coude et appuyée sur sa hanche, qui n'est pas sans ressembler à la gaine de mes béquilles. Guignol est interprété par Odile elle-même. Mais elle n'a pas besoin de grossir sa voix pour assumer ce rôle : les dialogues qu'on entend proviennent d'un vieux magnétophone à bobines posé sur une table à gauche de la scène. Pourquoi préfère-t-elle jouer en play-back ? Est-ce par commodité, pour éviter d'avoir à forcer ses cordes vocales ? Est-ce pour faire durer la voix de son père, à qui elle voue une grande admiration ? Je remarque qu'elle a du mal à se soumettre au silence qu'elle s'est imposé, car elle profère le texte, qu'elle connaît naturellement par cœur, à voix basse. Ses acolytes font de même. Je suppose qu'il est frustrant de devoir se taire quand on joue. Il faut admettre cependant que le papa d'Odile a bien fait les choses : son enregistrement a prévu la durée des rires et des applaudissements que provoque le spectacle, puisque le dialogue ne reprend qu'une fois le calme revenu dans la salle. Le public se compose essentiellement d'enfants, et de quelques personnes de mon âge qui sont probablement leurs grands-parents. J'ai supposé néanmoins que les spectateurs seraient déçus s'ils savaient que les dialogues sont récités par des gens qui ne sont plus là, qu'ils entendent des fantômes.

Il reste aux marionnettistes à faire vivre les poupées. À cette fin ils s'activent énormément, courent à droite, à gauche, sautillent, reculent brusquement. À plusieurs reprises les talons d'Odile ont failli s'accrocher aux câbles qui traînent par terre. Il leur arrive même de danser pendant les intermèdes musicaux qui sont également enregistrés. Ils sont obligés de se retourner sur eux-mêmes pour faire valser les personnages, ils sont comme emportés par les figurines, on dirait que ce sont elles qui mènent la danse.

Leurs doigts s'agitent tout autant : ce sont eux qui permettent aux marionnettes de se plier, de se redresser, de tourner la tête, de bouger les bras. On m'a appris que l'index est chargé d'actionner la tête, le pouce le bras gauche et les trois autres doigts le bras droit. On m'a même permis de passer ma main sous la jupe d'une figurine et de placer mes doigts aux bons endroits. Avouerai-je que je me suis senti quelque peu gêné ? Elle représentait une jeune femme blonde qui m'a remis en mémoire la plus jeune des assistantes du chirurgien d'Aix. Elle joue dans la pièce que je regarde la maîtresse du chat Minouchet. L'argument est simple : le restaurateur italien qui tient boutique en face de chez elle a vu le lapin qu'il comptait cuire pour le dîner s'échapper par la fenêtre de sa cuisine. Il conçoit alors le projet de le remplacer par le chat de sa voisine. En vérité les marionnettistes ne font qu'un avec les figurines dont ils ont la charge. Ils sont au bord des larmes quand elles ont des ennuis, ils s'amusent comme des enfants quand elles sont gaies, ils deviennent rouges de colère quand elles se fâchent.

Tout cela fonctionne à merveille, les toiles où sont peints les décors et qui sont suspendues au plafond par des cordes se succèdent rapidement, la couleur des lumières change instantanément, la scène est subitement inondée d'une épaisse fumée blanche, peu après, des espèces de flocons de neige se répandent dans l'air. Comme je suis assis sous les décors, j'ai reçu pas mal de ces flocons sur la tête et sur les épaules. Un petit écran est incorporé au spectacle sur lequel on voit Gnafron, passablement éméché, une bouteille de vodka à la main. On découvre qu'il est en villégiature à Moscou. On aperçoit derrière lui la place Rouge, en carton-pâte naturellement. Rentrera-t-il à temps pour assister au châtiment du restaurateur italien qui s'appelle, on l'aura peut-être deviné, M. Buitoni ? Mais oui, bien sûr. La sanction sera exécutée par Guignol, au moyen d'un long bâton, fendu à l'extrémité, qui fait beaucoup de bruit lorsqu'il s'abat. Karaghiozis, le héros du théâtre d'ombres grec, utilise, lui, son bras pour rosser les méchants, un bras démesuré, composé de plusieurs articulations. Quel âge a donc Guignol ? J'ai du mal à croire qu'il soit marié, tant il paraît jeune. Est-ce vraiment un garçon, d'ailleurs ? Son catogan tressé, qui lui tombe sur la nuque, fait naître un doute. Son visage est imberbe et ses joues sont celles d'un enfant. C'est un enfant qui a la main lourde. Karaghiozis est plutôt âgé, chauve, bossu, mal fagoté, tandis que Guignol porte une sobre mais élégante veste brune à boutons dorés. Les deux personnages ont néanmoins en commun, outre leur tempérament batailleur, une vive imagination, un certain sens de l'impertinence, le goût de la repartie et une connaissance approximative de la langue. Ils commettent des fautes suffisamment grossières pour faire rire un enfant. Ni l'un ni l'autre n'ont, de toute évidence, jamais été à l'école.

Régulièrement je me retourne pour contempler les héros qui tapissent le mur du fond. Ils portent des costumes magnifiques, des justaucorps à brandebourgs dorés, des robes de dentelle, des capes de velours, des chemises de soie, des jabots, des collerettes. Quand ont-elles été fabriquées, ces poupées ? Ce qui est sûr c'est qu'elles ont été confectionnées avec minutie, avec passion. On a pris soin de broder sur les tissus des perles, des paillettes, des strass. Les reines sont couvertes de bijoux. D'Artagnan est coiffé d'un immense chapeau à plumes, relevé sur le devant. La plupart des personnages portent d'ailleurs des chapeaux, des toques, des casques, des bicornes, des calottes. Leurs cheveux paraissent véritables. Leurs yeux sont le plus souvent peints, mais parfois ils scintillent comme scintille le verre. J'ai l'impression qu'ils me regardent aussi. La variété des tissus qui composent l'accoutrement d'Oliver Twist lui confère une certaine beauté. Si Odile m'offrait une figurine, laquelle choisirais-je ? Emporterais-je d'Artagnan ? Emporterais-je l'Indien ? C'est peut-être lui qui m'a incité à fumer, qui m'a fait découvrir les vertus apaisantes du tabac. Je fumais avec mon frère au bord d'un ruisseau qui coulait à l'écart des habitations. Il était si mince et si peu profond qu'il avait du mal à entraîner les petits bouts de bois que nous lui jetions, et qui devenaient aussitôt des frégates, des corvettes, des bricks.

J'ai passé d'innombrables heures à jouer avec ces héros dans le jardin de Callithéa. Je ne me séparais d'eux que tard dans la nuit. Certes, je n'ai pas été capable de suivre leur exemple, ils ont été néanmoins mes premiers maîtres. Tarzan m'apprit à grimper aux arbres, Robin à fabriquer des arcs, Robinson à construire des cabanes, le dernier des Mohicans à me déplacer sans bruit, Edmond Dantès à faire le mort. Je suis ému de les retrouver. Toutes les pages des « Classiques illustrés » que je dévorais alors se trouvent réunies ici en un seul tableau. Je regrette un peu cependant que les héros soient privés de jambes. Même les vêtements des hommes se terminent par des espèces de jupes destinées à masquer le bras du marionnettiste. Seule la jambe de bois d'un pirate a été préservée, sans doute parce qu'elle constitue un attribut important de sa personne : elle est cousue par-dessus sa jupe, il la porte un peu comme une médaille militaire.

Parmi ces figurines multicolores, il y en a une, placée à l'extrémité gauche du rang le plus élevé, qui tranche sur toutes les autres : sa longue cape, sa capuche et son visage sont blancs. Elle porte un jabot de dentelle qui lui donne l'air d'un juge. Ses yeux sont cependant marqués de deux points noirs et sa bouche, qui exprime un profond dégoût, d'un trait noir. À force de la regarder, je finis par relever ce détail qui accentue son aspect inquiétant : à la place des mains elle a des pattes de poulet, peintes en blanc. Je me promets de me renseigner auprès d'Odile sur l'identité de ce personnage, une fois que la représentation sera achevée.

Cela ne saurait tarder : le chat Minouchet est si profondément écœuré qu'il se met à parler ! Il traite le restaurateur de cochon, d'assassin ! J'imagine que Patrick est dans la salle, avec son propre chat sur les genoux : je suis sûr qu'ils auraient été ravis tous les deux par le spectacle. L'Italien, étendu par terre, à moitié évanoui, jure qu'il ne cuisinera plus aucun animal, ni chat, ni lapin. Il ne fera plus que des pizzas ! Cela se termine par une chanson italienne, malgré l'opposition de Gnafron qui préférerait un air russe afin de se remémorer les bons moments de son voyage. Tout le monde danse, y compris le lapin qui est lui aussi de retour. Je dois préciser que les animaux sont manipulés par des tiges, comme les figurines du théâtre d'ombres, et qu'ils ont par conséquent leurs quatre pattes. Je reçois encore des flocons sur la tête. Les lumières s'éteignent et se rallument. Les poupées saluent le public. Les marionnettistes sont en sueur mais paraissent très heureux, comme le sont toujours les comédiens à la fin d'une représentation et comme le sont les petits spectateurs qui applaudissent une dernière fois.

Je suis sorti du théâtre avec la ferme intention de braver une interdiction. Je n'ai pas eu besoin de réfléchir longtemps, car au beau milieu de la première pelouse que j'ai vue était installé un écriteau défendant, sous peine d'amende, de s'y asseoir. Il n'y avait que très peu de feuilles mortes dessus, comme si l'interdiction les concernait aussi. Mais comment faire pour s'asseoir par terre quand on ne peut plier complètement ses jambes ? Je me suis approché d'un sapin planté au bord de la pelouse, couvert de branches jusqu'à la base de son tronc. Après avoir lâché mes béquilles, je me suis accroché des deux mains à ses ramifications. Au fur et à mesure que je passais des plus hautes aux plus basses je laissais glisser mes pieds sur le gazon, de sorte que j'ai fini par me trouver étendu par terre. Cela m'a forcément rappelé les jeux que je pratiquais à Callithéa. Les héros d'antan se sont à nouveau rassemblés autour de moi et ont tous approuvé mon initiative. Tarzan a acquiescé d'un léger signe de tête. Il avait déjà escaladé le sapin, il s'était installé à son sommet, je le voyais à travers les branches qui formaient une sorte d'auvent par-dessus ma figure. Il ne paraissait pas plus grand qu'une marionnette. « Une fois la représentation terminée, les poupées ont quartier libre, elles peuvent aller où elles veulent. » J'ai songé qu'il ne devait pas être très heureux dans un jardin où les arbres sont alignés au cordeau, où on ne laisse pas pousser des lianes et où les seuls animaux admis sont des poneys à l'usage des enfants. Il y a bien par-ci par-là quelques lions, mais ce sont des lions de pierre. J'ai essayé d'imaginer la stupéfaction des sénateurs s'ils percevaient, de l'hémicycle où ils siègent, le fameux cri du Seigneur de la Jungle. Mon frère l'imitait très bien. Malgré l'humidité de l'herbe, j'ai décidé de rester là un moment et j'ai fermé les yeux.

— Visage pâle fatigué, a commenté l'Indien.

Puis j'ai entendu la voix d'Odile :

— Vous allez prendre froid.

Elle se tenait à un mètre, légèrement penchée. Ses joues ont le teint vermeil d'une jeune fille. Elle doit bien avoir pourtant quarante-cinq ans.

— Vous allez prendre froid, a-t-elle répété en me tendant la main.

Elle m'a aidé à me remettre debout avec une

force étonnante, que j'ai attribuée au caractère manuel de son métier. « Guignol est manipulé par une main de fer », ai-je songé. Elle tenait justement Guignol de sa main libre, et m'a montré une belle éraflure qu'il portait sur le visage.

— Il a besoin d'un petit coup de peinture, me dit-elle. Je le déposerai chez ma sœur, c'est elle qui fabrique les poupées et qui les habille. Elle n'aimait pas beaucoup ce travail jadis, elle aurait préféré devenir marionnettiste, mais elle est bien trop grande, comme vous avez pu le constater. Elle était jalouse de ma taille comme je l'étais de la sienne. On finit toujours par aimer l'activité qu'on exerce même quand on ne l'a pas vraiment choisie, vous ne trouvez pas ? Elle s'est constitué une collection impressionnante d'ouvrages sur l'histoire du costume. Son appartement ressemble à tout sauf à une habitation, il tient de l'atelier de couture, de peinture, de menuiserie, voire de la fabrique de bijoux. Ça sent la colle et la peinture à l'huile. Elle fait régulièrement les poubelles des grands couturiers pour récupérer des chutes de robes. Elle est vraiment heureuse quand elle met la main sur une étoffe rare. Je crois que ma sœur est heureuse.

Elle a dit cela non sans gravité, de la façon dont on énonce l'aboutissement d'une longue réflexion. Nous étions arrivés à la hauteur du pavillon qui abrite les toilettes.

— Vous pouvez m'attendre un instant ?

J'ai préféré la suivre, j'ai eu envie de saluer la dame, qui m'a accueilli avec un grand sourire.

— Vous avez meilleure mine, m'a-t-elle dit.

Puis elle a ajouté en écarquillant les yeux :

— Il a neigé ?

Elle venait de remarquer les flocons qui étaient restés sur nos vêtements. « Elle ne sait pas qu'il fait beau dehors », ai-je pensé. À quelle heure prenait-elle son service ? Avant le lever du jour ? Je lui ai parlé du spectacle auquel je venais d'assister. Odile a disparu dans la première cabine, après avoir déposé Guignol sur la petite table, à côté de la soucoupe qui sert de caisse à l'établissement. Il m'a semblé que la figurine a aussitôt changé d'air, qu'elle a pris l'expression sombre d'un petit mendiant.

— Vous pouvez me remplacer un instant ? m'a demandé la dame à peine mon récit terminé.

Elle était sûre de ma réponse car elle s'est réfugiée sans plus attendre dans la deuxième cabine. J'ai donc pris sa place avec la satisfaction de me livrer à une expérience inédite. Je ne doutais pas que j'aurais l'occasion un jour d'évoquer dans un texte ma vacation aux toilettes du Luxembourg. La chaise était confortable. J'ai posé mes coudes l'un sur la table, l'autre sur une pile de trois caisses en carton contenant du papier hygiénique. Je me suis vu un instant comme un roi dont Guignol serait le dauphin. « Je suis le roi des sous-sols », ai-je pensé. Les cabinets se trouvaient à droite de l'entrée. Un paravent aux panneaux en plastique dissimulait le bout opposé de la pièce. J'ai supposé que la trappe dont m'avait parlé la dame était derrière le paravent, mais je ne me suis pas levé pour vérifier : Gnafron venait d'entrer dans le local. Je l'ai reconnu à sa houppelande grise, à son chapeau en feutre noir, à sa barbe de huit jours, à son nez rouge. Karaghiozis, qui pourtant ne boit guère, a pareillement le nez rouge. « C'est le signe distinctif des clowns », ai-je pensé. Il portait un gros chrysanthème un peu fané, d'un rouge vif, à la boutonnière. Il s'est d'abord adressé à Guignol :

— Qu'est-ce que tu fabriques là, gamin ? s'est-il étonné.

Il a caressé la joue de la marionnette à l'endroit de sa blessure d'une main qui tremblait légèrement.

— On t'a fait du mal à ce que je vois. Marie-Paule n'est pas là ?

J'ai senti que le moment était venu de jouer mon rôle.

— Vous voulez aller aux toilettes ? ai-je suggéré.

— Je ne vais pas vous donner quarante centimes pour pisser ! s'est-il esclaffé. D'abord je ne les ai pas, ensuite j'ai horreur des vécés, leurs dimensions ne me permettent pas de me détendre, j'ai hâte d'en sortir. Pisser contre un arbre est tellement plus agréable ! Il y a trois mille quatre cents arbres dans le jardin, des marronniers, des platanes, des tilleuls, des sophoras, des robiniers dont les fleurs sentent si bon, je n'ai que l'embarras du choix ! Il paraît qu'il y a même un cyprès, un seul, mais je n'ai jamais réussi à le localiser. Marie-

Paule non plus n'a pas la moindre idée d'où il se trouve. Elle ne va pas tarder, j'espère ?

Nous avons été interrompus par le bruit d'une chasse d'eau qui a redoublé d'intensité lorsque la porte de la première cabine s'est ouverte. Odile a tout de suite reconnu l'individu :

— Tu ne rentres donc jamais chez toi ?

— C'est ici chez moi ! a-t-il affirmé d'un air goguenard. Le Luxembourg est mon village, tu le sais bien ! Tout le monde me connaît, je suis apprécié des joueurs de tennis pour l'impartialité de mon arbitrage, des joueurs d'échecs pour mon sens de la stratégie, des enfants pour mon expérience de la navigation à voile, des jardiniers pour ma connaissance des plantes tropicales, en particulier des paphiopedilums, appelés également sabots-de-Vénus. Les gardiens me rudoient quelquefois, mais sans méchanceté. Il n'y a que toi qui me rejettes, Odile ! Est-ce que tu as dit au moins à ta sœur que je voulais l'épouser ? Je suis encore apte à faire des enfants !

— Ma sœur a passé l'âge de faire des enfants. Elle n'en voudrait pas de toute façon, elle aurait trop peur qu'ils abîment ses poupées. Elle ne veut pas de mari non plus.

— Puisque c'est comme ça, voilà la femme que je vais rendre heureuse !

Marie-Paule nous avait rejoints.

— Tu ne te serais pas servi dans ma soucoupe, par hasard ?

— Si ! a-t-il avoué avec une sorte d'excitation. Il nous a montré, en écartant bien les doigts, les pièces de vingt centimes qui logeaient dans le creux de sa main. Il les avait sans doute subtilisées au moment où il s'était approché de Guignol.

— Tu m'en laisses deux ou trois ?

Marie-Paule les a toutes récupérées.

— Je te signale que l'indemnité journalière que me verse le Sénat n'est que de dix-huit euros et je ne les touche que les jours où je travaille effectivement, pas quand je suis de repos. Sans la monnaie de mes clients je ne pourrais pas m'en sortir.

Alors l'homme a été saisi par une vive émotion. Il a baissé la tête. L'agitation de sa main droite, qui pendait le long de son manteau gris, s'était accentuée. « C'est un personnage de roman, ai-je pensé. Les personnages de roman sont imprévisibles. »

— Arrête, Ricardo, lui a dit Marie-Paule.

C'était davantage une prière qu'un ordre : elle avait été sensible à la détresse de l'individu.

— C'est un cabotin, comme tous les Italiens, m'a assuré Odile quand nous avons regagné le jardin.

— Il ressemble à Gnafron.

Elle a fait une moue dubitative.

— Son manteau est une réplique de celui de Gnafron, a-t-elle admis. Il a été confectionné par ma sœur, elle lui en a fait cadeau un hiver particulièrement rigoureux, il y a plusieurs années de cela. Savez-vous que Gnafron a réellement existé ? Il a vécu à Lyon, à l'époque de Laurent Mourguet, le père de Guignol, à la fin du XVIIIe et au début du XIXe siècle. Mourguet a utilisé ses talents de musicien et de bonimenteur, mais pas longtemps car l'homme en question, connu sous le nom du « Père Thomas », était trop porté sur la bouteille et s'endormait parfois pendant le spectacle. Leur séparation aurait donné à Mourguet l'idée de créer Gnafron, une caricature de son ancien camarade. « Gnafre » signifie cordonnier dans le jargon lyonnais. Ricardo ressemble davantage au Père Thomas qu'à Gnafron, qui est un personnage complètement inculte. L'Italien a été violoniste dans sa jeunesse et a énormément voyagé. Ma sœur le surnomme « la Réponse » car il connaît beaucoup de choses. Il paraît qu'il a eu son heure de gloire et qu'il a joué dans les plus grandes salles. Je n'en sais pas plus car il ne supporte pas qu'on le questionne sur son passé. Je ne connais pas son nom de famille. Il doit être attaché à son instrument puisqu'il a réussi à le sauvegarder pendant toutes ces années. Il a fini par me le confier, probablement pour se défendre des tentations. Je l'ai rangé dans le castelet, dans la malle qui est devant le mur du fond.

« J'ai connu deux Italiens aujourd'hui, ai-je pensé, Ricardo et M. Buitoni. » Ensuite j'ai revu la figurine blanche qui m'avait paru quelque peu sinistre. Était-elle sortie elle aussi se promener dans le jardin ? Je l'ai imaginée en train de naviguer sur les eaux tranquilles du grand bassin, debout sur un bateau dont elle masquait entièrement la voilure. On aurait dit qu'elle marchait sur les eaux. Les enfants n'ont pris peur que lorsqu'elle a levé la main pour les saluer.

— C'est une patte de poulet ! ont-ils crié en s'enfuyant.

Seule une vieille dame, assise sur une chaise de fer, est restée au bord du bassin et a rendu à la marionnette son salut.

— De toute façon, il est incapable de s'en servir aujourd'hui, a poursuivi Odile. Vous avez remarqué qu'il tremblait, n'est-ce pas ?

— Il a pourtant réussi à prendre les pièces de monnaie dans la soucoupe sans que je m'en rende compte.

— Il faut croire que quand il vole il ne tremble pas ! a-t-elle conclu en souriant.

Nous nous dirigions vers le portail situé en face de la rue de Fleurus. La sœur d'Odile habite rue Notre-Dame-des-Champs, à trois pâtés de maisons de l'hôtel Perreyve. Le jardin m'a paru mystérieux, impénétrable. Où se réunissaient donc les joueurs d'échecs que Ricardo faisait profiter de ses conseils ? Où se cachait ce cyprès solitaire que ni Ricardo ni Marie-Paule n'avaient jamais vu ? Et d'où venait-il ? L'avait-on transplanté du midi de la France ? J'avais bien aperçu quelques cyprès à Aix. C'est l'un des rares arbres que je prétends connaître un peu, pour en avoir vu un grand nombre en Grèce. Je sais que son feuillage reste silencieux même par grand vent. Contrairement aux autres arbres, il ne se plaint pas des intempéries, il ne gémit pas. Il ne plie pas non plus. Voilà pourquoi on le plante dans les cimetières : il est chargé d'enseigner la dignité aux familles.

Odile a été touchée par mon intérêt pour la marionnette blanche.

— Elle a été créée par mon père, elle est d'ailleurs la seule figurine qu'il ait jamais réalisée. La plupart des poupées que vous avez vues dans la réserve sont des œuvres de ma mère et de ma sœur. Les autres nous les avons achetées à des confrères qui avaient abandonné le métier. Mon père a eu l'idée de cette marionnette quand il a su qu'il était très malade. Je ne sais pas à quel spectacle il la destinait car il n'a jamais pu la faire jouer. C'est une figurine qui n'a jamais vécu, ce qui est normal d'une certaine façon, étant donné qu'elle représente la Mort.

— D'habitude la Mort est drapée de noir, ai-je observé.

— C'est vrai quand elle apparaît en plein jour. Mais la nuit elle s'habille toujours de blanc, m'a-t-elle appris avec une assurance qui m'a un peu surpris.

La marionnette continuait à voguer sur les eaux. Soudain elle s'est mise à grandir, à enfler de partout comme une montgolfière. Bien vite sa cape a recouvert entièrement le bassin et sa tête a dépassé la hauteur des plus grands arbres. Elle crachait des poissons, ils sortaient un à un de sa bouche à une cadence accélérée, glissaient sur son habit et tombaient à terre. C'étaient des carpes qui, en un rien de temps, ont attiré tous les chats du jardin. La vieille dame demeurait imperturbable. Que regardait-elle ? La figurine géante ? les chats qui déchiquetaient les poissons ? Comme elle ne bougeait pas, j'ai fini par comprendre qu'elle ne regardait rien du tout car elle était morte.

— Le public de Guignol n'a pas toujours été aussi jeune que celui que vous avez vu aujourd'hui. Le personnage créé par Mourguet ne s'adressait qu'à des adultes : il commentait la vie de quartier, fustigeait les hommes politiques, tenait des propos suffisamment incisifs pour s'attirer, vers le milieu du XIXe siècle, les foudres de la censure. À Lyon sa clientèle se composait essentiellement d'ouvriers. À Paris il a été confronté à un nouveau public, plus bourgeois : il a perdu son accent lyonnais et s'est peu à peu assagi.

Karaghiozis aussi est devenu plus raisonnable en prenant de l'âge. « Ce n'est pas Paris qui a changé Guignol, mais le temps. »

— Je ne veux pas dire qu'il a été mal accueilli par les Parisiens : avant-guerre la capitale comptait plusieurs théâtres de marionnettes qui avaient énormément de succès. On jouait le répertoire traditionnel mais aussi des adaptations d'œuvres aussi fameuses que *Michel Strogoff* ou *Le Tour du monde en 80 jours*. C'étaient des spectacles qui demandaient deux ans de préparation et qui mobilisaient une soixantaine de figurines et une bonne douzaine de manipulateurs. Jules Verne a contraint les marionnettistes à mettre au point des effets scéniques inédits. On ne peut pas raconter Michel Strogoff sans montrer le feu dans lequel ses ennemis font chauffer le fer qui servira à le rendre aveugle. Mon grand-père a résolu ce problème en utilisant une poudre vendue en pharmacie pour le soin du cuir chevelu, la poudre de lycopode, qui jette de grandes flammes dès qu'on l'allume et qu'on souffle dessus. Comme je n'ai rien trouvé de mieux, je me sers toujours à l'occasion de ce produit. Guignol ne participait pas à ces spectacles, sauf quand ils avaient un caractère parodique. Je me rappelle une version de *Cyrano* où il se substitue au héros de Rostand et attire les sarcasmes à cause de la petitesse de son nez retroussé.

» Les gens disposent aujourd'hui d'une gamme de distractions bien plus large qu'avant-guerre. Le cinéma a certainement nui à notre art. Walt Disney estimait que les marionnettes appartenaient au passé, qu'elles n'avaient plus de raison d'être. La télévision nous a plutôt fait de la publicité puisqu'elle a mis en valeur les poupées dans des émissions pour enfants, comme *Bonne nuit les petits*, mais également politiques, telles que *Le Muppet Show* ou *Les Guignols de l'info*.

J'ai voulu savoir si les marionnettes actionnées directement par la main avaient toujours eu la faveur des Français.

— Lafleur, un cousin de Guignol né à Amiens à la même époque, a toujours été une marionnette à fils. Les figurines à gaine ont été popularisées par Laurent Mourguet. Elles sont d'un maniement plus facile, encore qu'il faille deux ans environ pour former un manipulateur. Les poupées à fils présentent le grand avantage d'avoir des jambes, mais il est très difficile de les faire marcher, de faire en sorte qu'elles effleurent à peine le sol. Les manipulateurs ne les voient que de haut, étant placés sur un pont, invisible du public, installé au-dessus de la scène. Ces poupées réclament un personnel bien plus nombreux que les marionnettes à gaine car elles mobilisent chacune deux manipulateurs. Elles sont particulièrement appréciées en Europe de l'Est, où leurs théâtres sont souvent subventionnés par l'État. J'admets que Guignol paraît un peu lourd par comparaison. Les figurines à fils sont des princesses, Guignol est un paysan. Je le trouve en même temps plus vivant : il est aussi vivant que ma main. C'est une main qui parle.

Elle s'est arrêtée au portail pour nettoyer ses talons, qui étaient couverts de boue, avec un mouchoir en papier. Guignol pendait au bout de sa main droite comme un poulet égorgé. Je lui ai proposé de prendre un verre au Fleurus, mais elle a refusé. Avait-elle un mari, des enfants ? « Elle a eu un compagnon mais il y a longtemps qu'il l'a quittée. C'était un petit jeune homme qui travaillait dans l'entreprise familiale et qui est parti un jour pour fonder son propre théâtre dans le parc Montsouris. » En prenant congé d'elle j'ai songé que la bonne couleur de ses joues était due à l'air du Luxembourg. « Elle a les joues d'une femme qui vit à la campagne. » J'ai tenu à saluer

Guignol aussi et je lui ai touché le visage comme l'avait fait Ricardo.

J'avais encore des questions à poser à Odile, cependant je l'ai vue s'éloigner sans regret. J'aspirais au repos auquel donne droit un cours intensif. Ce n'est donc pas sans plaisir que j'ai pris place seul à la terrasse déserte du Fleurus. Mais je n'ai pas tardé à constater que j'étais toujours entouré des figurines que j'avais côtoyées dans le courant de l'après-midi, que toutes les tables du café étaient en fait occupées et que dans la rue se croisaient sans cesse des dames somptueusement vêtues, des chevaliers et des truands.

J'ai commandé un double expresso que le serveur m'a apporté avec un spéculoos : il s'agit d'un délicieux gâteau sec, très réputé, que je n'ai découvert pour ma part que récemment. Je me surprends quelquefois à élaborer des phrases qui le mettent en valeur, comme par exemple : « Il y avait toujours une boîte de spéculoos sur la table de nuit d'Arété. » Arété signifie « vertueuse » dans ma langue maternelle, mais je n'ai jamais connu de femme de ce nom. Le café, qui fait également office de restaurant à midi, est géré par trois hommes très serviables. Un soir où j'ai eu envie d'un sandwich, l'un d'eux est parti chercher du pain dans une boulangerie qui doit se trouver assez loin compte tenu du temps qu'il a mis pour revenir. Eux non plus ne m'ont pas interrogé sur mon impotence, mais je suis persuadé qu'ils s'en sont abstenus par discrétion.

Il devait être dix-sept heures, car il commençait

à faire sombre. J'apercevais de ma place le portail du jardin, qui était encore ouvert. Plus personne toutefois ne le franchissait, ni dans un sens ni dans l'autre. Je sais que le Luxembourg ferme à la fin du jour, que les gardiens poussent les derniers visiteurs vers la sortie. Où donc passait ses nuits Ricardo ? Se laissait-il enfermer dans le jardin, caché dans un massif de buis ? Dormait-il sous le même sapin où je m'étais allongé un moment ? Où avais-je entendu une histoire semblable à la sienne, d'un homme qui sombre dans la misère après avoir connu une certaine gloire ? « C'est une histoire banale », ai-je pensé. Je suis convaincu qu'on s'habitue très vite à l'état de clochard, qu'il suffit de rester deux ou trois heures assis par terre au coin d'une rue. Puis j'ai songé de nouveau à Tarzan : « Il doit se demander pourquoi on a construit tant d'habitations autour du jardin alors qu'il y a suffisamment de place pour tout le monde dans les arbres. » La fumée de ma pipe m'a rappelé le brouillard épais qui avait envahi la scène du théâtre de marionnettes. « Je suis une figurine manipulée par deux béquilles. » Les lumières du café venaient de s'allumer. Pendant que je fixais mon ombre sur le trottoir, un homme a posé les pieds dessus.

— Je peux finir ton café ? m'a-t-il dit.

C'était Robinson, l'individu qui passait ses journées blotti à côté du présentoir de cartes postales. Il avait un visage gras, enflé, de grosses lèvres et une barbe ample et hirsute comme celle de Poséidon. Il portait toujours son bonnet velu, son énorme casaque aux poils également tournés vers l'extérieur et sa culotte de cuir, large et relativement courte, le tout dans un état d'usure extrême. Sa peau, tout au moins le peu qu'on en voyait, était si sombre qu'on aurait pu le prendre pour un Noir. « Il est à la fois Robinson et Vendredi. » Il a saisi ma tasse d'un geste vif, l'a vidée, puis il a empoché mon spéculoos que je comptais manger après avoir fumé ma pipe. Ensuite il s'en est allé en direction du jardin. « Il loge dans un arbre, peut-être dans un robinier qu'il a choisi à cause de la senteur agréable de ses fleurs. »

Je crois que je vais commander à la sœur d'Odile une copie de Guignol. Je la lui paierai le prix qu'elle voudra. Je lui demanderai seulement de restituer à son visage l'expression équivoque qu'il avait autrefois, de rendre à son sourire sa part d'amertume. Je montrerai la figurine à mon frère qui sera ravi de la retrouver. Il me fera remarquer l'étrange forme de son chapeau : Guignol est en effet coiffé d'une espèce de bicorne aux ailes rabattues, qui ressemble aussi à un casque d'aviateur de la Seconde Guerre mondiale. Je l'installerai sur le téléviseur de ma chambre d'hôtel. La nuit, quand je me réveillerai et que je sortirai sur le balcon pour fumer, je le prendrai avec moi. Je lui montrerai la ville.

— Elle est belle, tu ne trouves pas ?

— Les villes ne sont belles qu'au petit matin, dira-t-il.

4

Qu'apprends-je ? Anatole France aurait croisé Victor Hugo au palais du Luxembourg. Cela paraît vraisemblable étant donné que le premier eut un petit boulot à la bibliothèque de cette institution l'année où le second fut élu sénateur. Se sont-ils parlé ? Peu importe. J'ai pu pénétrer dans le palais grâce à Jean Meunier que tout le personnel du Sénat salue respectueusement. La jeune fille que j'ai toujours vue avec lui ne nous a pas suivis, hélas. Elle est moins jeune que je ne croyais : elle doit avoir dix-huit, dix-neuf ans. Elle est surtout bien plus belle qu'elle ne le paraît de loin. Elvire, car tel est son nom, est extrêmement timide. On dirait qu'elle sort d'un couvent : elle parle très peu et son regard fuit sans cesse comme si elle était en communion avec des champs invisibles. Elle vit avec son oncle depuis que ses parents sont morts dans un accident d'avion survenu il y a une dizaine d'années entre le Pérou et la Bolivie. Elle nous a donc faussé compagnie, préférant se rendre au rucher du jardin pour acheter un pot de miel. M. Jean – j'ai décidé de l'appeler comme le fait Marie-Paule – a consenti à cette idée avec bienveillance :

— Va, ma fille, a-t-il dit.

J'ai du mal à admettre toutefois qu'il n'est pas amoureux de sa pupille, qu'il n'est pas exaspéré par les jeunes gens qui la regardent même si elle ne lève jamais les yeux sur eux, qu'il ne rêve pas, la nuit, d'abattre la mince cloison qui sépare leurs chambres. Si j'apprends qu'il a eu des gestes envers elle, je l'assommerai à coups de béquille. Ensuite je proposerai à Elvire de l'emmener à Saint-Pétersbourg.

— On ira par le train, préciserai-je. Je ne peux pas prendre l'avion en ce moment.

— Je déteste l'avion, dira-t-elle.

Pendant que nous déambulons dans les couloirs du palais, je vois une tache de sang se former sur le crâne de M. Jean et se répandre peu à peu sur ses cheveux blancs. Il ressemble effectivement à Victor Hugo : j'en ai eu la confirmation en découvrant dans l'un des salons que nous avons visités un buste de l'illustre écrivain.

Un autre buste retient davantage mon attention, celui de Marie de Médicis, non pour sa beauté car elle n'est pas séduisante, mais parce que ce palais est son œuvre. Elle a des yeux minuscules et de grosses joues qui écrasent ses traits. Son visage se termine en entonnoir par un menton pointu.

— Rubens a immortalisé son arrivée par bateau à Marseille, m'informe M. Jean. Henri IV, à qui elle était promise, ne se donna pas la peine d'aller l'accueillir. Il l'a épousée pour son argent, les Médicis étant à l'époque les banquiers de l'Europe, et ne la rendit guère heureuse. Il était en plus protestant de cœur, ce que Marie, catholique fervente, désapprouvait profondément. A-t-elle comploté contre lui ? Elle n'a éprouvé en tout cas aucun chagrin lorsqu'il a été assassiné. Elle s'est empressée de quitter le Louvre où l'air était irrespirable : il n'y avait ni égout ni toilettes à l'époque. On vidait son pot de chambre par la fenêtre. Elle a choisi ce quartier qui, au début du XVIIe siècle, était hors de Paris. Elle a d'abord acheté l'hôtel particulier du duc de Luxembourg, qui était doté d'un vaste jardin, puis elle a entrepris de construire quelque chose de nettement plus grand juste à côté, un vrai palais, semblable à celui de son enfance à Florence. Elle aimait le faste et la campagne. Elle a fait planter énormément d'arbres, en particulier des ormes, dont les derniers sont morts vers 1970. On dit qu'elle a glissé sous la première pierre de l'édifice trois médaillons d'or à son effigie. À l'origine, le bâtiment ne disposait pas de fondations, il reposait sur son propre poids. Il n'a jamais porté le nom de Marie : dès le départ il a été affublé du même vocable que l'hôtel particulier voisin.

Marie-Paule a eu raison de me prévenir que M. Jean savait tout. Je ne peux pas dire qu'il soit bavard car ses propos n'ont rien de la futilité des bavardages. Simplement il a acquis trop de connaissances pour pouvoir les contenir. C'est une encyclopédie : les rares instants où il se tait j'ai l'impression qu'il tourne une page.

— C'est ici que Louis XIII a eu à choisir entre sa mère et Richelieu, qui était son premier ministre. Marie n'avait nulle envie de lâcher le pouvoir qu'elle avait exercé pendant que son fils était mineur. Richelieu avait été son protégé, elle l'avait installé à l'hôtel de Luxembourg, mais il manifestait une liberté d'esprit qu'elle exécrait. Il pensait que la France avait intérêt à travailler à la ruine de ses voisins, tandis qu'elle souhaitait son rapprochement avec tous les pays catholiques européens. Le débat sur l'Europe était déjà ouvert. Il paraît que la scène fut terrible et que le cardinal a même pleuré. Il a eu gain de cause en fin de compte : le roi a préféré contraindre sa mère à l'exil plutôt que de le perdre.

Je me suis souvenu des *Trois Mousquetaires*, puisque le roman évoque le conflit de Richelieu avec une autre reine, la femme de Louis XIII, Anne d'Autriche. J'avais détesté le cardinal quand j'étais enfant, comme l'ont détesté, je suppose, tous les lecteurs de Dumas. Je me suis demandé si l'écrivain n'avait pas noirci exagérément son portrait. « La valeur des héros se mesure à la capacité de nuisance de leurs adversaires », ai-je pensé. J'entendais au même moment le galop des chevaux des mousquetaires, lancés en direction de l'Angleterre en vue de récupérer les ferrets de diamants qui sauveront la reine.

— Marie avait le goût de l'autorité, mais elle n'était pas intelligente. La bêtise a parfois du caractère. Elle est morte à Cologne en 1642 dans le dénuement le plus complet, la même année que Richelieu. Elle n'a pas profité longtemps de son palais. Seule une fontaine se souvient encore d'elle. Elle se trouve à l'est du jardin, je vous la montrerai un jour. Vous verrez un long bassin rectangulaire, qui donne l'impression que l'eau est en pente, que son niveau s'abaisse dans le sens de la longueur. L'illusion est créée par les bords du bassin et la terre tout autour qui s'élèvent progressivement. Les visiteurs ne remarquent pas toujours cette anomalie : persuadés que l'eau ne peut pas pencher, ils ne voient pas qu'elle penche !

Mes béquilles laissent des traces rondes dans l'épaisse moquette pourpre. On va peut-être s'imaginer qu'une créature singulière s'est promenée ici ? Je me déplace plus facilement que les premiers jours, je me sens plus léger. Est-ce parce que je me suis habitué au maniement de mes bâtons ? Est-ce parce que mes jambes me soutiennent davantage ?

— Lequel de vos livres faut-il lire en premier ? m'a demandé le gérant de l'hôtel au moment où je sortais de son établissement.

— Le dernier. Mais je ne l'ai pas encore terminé.

— Vous connaissez déjà son titre ?

— J'en ai plusieurs : *Les Nonnes sanglantes*, *Trois Nuits dans les égouts*, *L'Étrange Rêve du Dr Ricardo*.

— Je préfère *Les Nonnes sanglantes*.

Mon studio sera content de me revoir après tout

ce temps. Marie aurait été choquée par sa petitesse :

— Mais vous habitez un tiroir ! se serait-elle
exclamée.

Les pièces de son palais sont en effet nettement
plus grandes. Elles sont hautes de plus de dix
mètres, ce qui rend inaccessibles les peintures qui
décorent leurs plafonds, et qui ont les couleurs
pâles de l'aurore. Le reste est entièrement couvert
d'or. Chaque fois que nous passons devant une
fenêtre, je regarde avidement vers l'extérieur, tel
un prisonnier. L'or m'étouffe. Je me figure qu'il
révèle l'inexorable face du pouvoir. M. Jean me le
confirme :

— Le palais a servi à plusieurs reprises de
prison et aussi de tribunal. Bien des condamna-
tions à mort ont été prononcées ici, sous la
Restauration et au lendemain de la Commune.
Bien des couples se sont dit adieu dans ces murs
pour la dernière fois. On n'a pas installé de
guillotine dans le jardin : les exécutions avaient
lieu à l'extérieur, parfois avenue de l'Observatoire, appelée aussi avenue de l'Échafaud, dans le
prolongement du jardin vers le sud. Les communards, eux, étaient exécutés sur place, on les
passait par les armes au pied des terrasses qui
entourent le grand bassin. Il y a eu des montagnes
de cadavres. On les couvrait de poudre de chaux
vive en attendant leur enlèvement.

J'aperçois le grand bassin et au loin l'Observatoire par les fenêtres de la bibliothèque, qui est
située au premier étage. Nous sommes montés

par l'ascenseur. M. Jean s'entretient avec ses anciens collègues. Le bassin n'est pas rond comme je le pensais, mais octogonal. Il est sillonné par des bateaux mais aussi par des canards, qui habitent probablement la petite maison en bois installée près du jet d'eau. Au pied des terrasses s'étendent des parterres ornés de tulipes, de myosotis, de giroflées, de pâquerettes et de chrysanthèmes de toutes les couleurs. Les fleurs sont logées dans des formes géométriques constituées de buis, des carrés, des ronds, des polygones. On a l'impression d'avoir sous les yeux un manuel de géométrie en couleurs. « Le rôle des fleurs est d'effacer le souvenir des drames qui se sont joués ici. » Je cherche en vain dans la foule des promeneurs la fine silhouette d'Elvire. Elle est vêtue d'une longue robe blanche piquée de points noirs que j'ai déjà vue dans un tableau de Monet. Un vil soupçon me traverse l'esprit, qu'elle est la maîtresse du serveur énigmatique de l'Auberge des Marionnettes et qu'elle est en train de prendre du bon temps avec lui dans les toilettes, derrière le paravent.

— Il ne faut pas se fier à l'air d'Elvire, m'affranchit Marie-Paule. C'est une vraie petite cochonne.

— Vous pensez qu'Elvire est toujours au rucher ? plaisanté-je.

— Sans doute, sans doute, dit M. Jean.

Il a néanmoins l'air préoccupé. Ai-je dit qu'il est robuste et qu'il a des mains de boxeur ? Il me présente une bande dessinée qui retrace l'histoire du palais. Il a ouvert l'album au chapitre consacré à Napoléon, plus précisément à l'épisode qui raconte comment il s'est attribué le titre de premier consul. Le Consulat, qui exerce désormais le pouvoir exécutif à la place du Directoire, comprend trois personnes, dont Napoléon. La question de savoir qui le présidera n'est pas encore réglée. Dans une salle que je crois reconnaître, trois fauteuils sont disposés devant une table. Quand Napoléon arrive, celui du milieu est déjà pris par Sieyès, le plus vieux du groupe, qui estime que cette place lui revient d'office. « *Mais Napoléon ne l'entend pas de cette oreille* », note l'auteur. Il s'empare du fauteuil à droite de Sieyès, le pose à gauche du deuxième siège vacant qui devient du coup celui du milieu. C'est dans ce fauteuil que le futur empereur s'empresse de s'asseoir, malgré les molles protestations de Sieyès. Plus tard il annonce à Joséphine qu'un « simple jeu de sièges » lui a permis de prendre le pouvoir. Ils habitent à l'hôtel du Petit-Luxembourg. Trois mois plus tard ils seront aux Tuileries.

M. Jean regarde lui aussi le jardin. Songe-t-il à Elvire ? Je commence à être pressé de respirer l'air du dehors. Ma pipe sollicite de plus en plus souvent ma main.

— Les palais sont aussi des lieux de plaisir, poursuit-il. Marie n'était pas vraiment portée sur le sexe. Joséphine, comme on le sait, l'était davantage. Elle a choisi le prénom de Joséphine lorsqu'elle a épousé Napoléon. Elle se nommait Rose auparavant, ce qui ne faisait pas très sérieux.

La plus leste de toutes fut certainement la duchesse de Berry, la fille de Philippe d'Orléans qui était le neveu de Louis XIV. Elle a pris ses quartiers au Luxembourg en 1715. Elle avait vingt ans et était déjà veuve. Elle a vécu avec frénésie, comme si elle savait qu'elle ne vivrait pas longtemps. Elle eut d'innombrables partenaires, parmi lesquels son père et un méchant nabot dont on a pu dire qu'il était la plus petite créature que Dieu ait jamais faite. Quand il faisait beau, les dîners et les jeux qu'elle organisait avaient lieu à l'extérieur. Les grilles du jardin sont restées fermées pendant deux ans. Elle s'appelait Marie Louise Élisabeth. Le peuple l'avait surnommée Babette. Elle est morte à vingt-quatre ans.

Il me montre son portrait, dans un autre livre. Elle est un peu enveloppée, mais son minois est charmant. Elle porte un anneau à son pouce, comme bien des femmes le font aujourd'hui. Pendant qu'il range les deux livres, je lui demande s'il y a des romans dans la bibliothèque.

— Non, me dit-il. On ne lit pas de romans dans les palais : on se contente d'en écrire.

Il me laisse le temps de savourer cette saillie. Nous pénétrons dans l'hémicycle où siègent les sénateurs et qui à cette heure est vide. Leurs fauteuils ont la même couleur que la moquette. Certains ont la taille habituelle, mais j'en vois aussi de nettement plus larges.

— L'hémicycle a été construit deux siècles après le palais, vers le milieu du XIXe siècle. Les sénateurs n'ont jamais été élus par le peuple.

D'abord nommés par Napoléon, ils ont cédé un temps la place aux pairs de France nommés par le roi. Sous la IIIe République ils étaient choisis par les délégués municipaux. Aujourd'hui ils sont élus par les maires, les conseillers généraux, les députés. Ils sont censés avoir une bonne connaissance des problèmes locaux, comme par exemple de la prolifération des termites dans certains départements. Ce sont des notables vieillissants et plutôt réactionnaires dans l'ensemble, qui se sont battus pendant longtemps contre le vote des femmes. Ils sont actuellement au nombre de trois cent quarante-trois : c'est dire que la République paie très cher les conseils avisés qu'ils donnent parfois.

— Ce sont des gens prospères, commenté-je. Voilà qu'il se met à rire !

— Prospères, oui, c'est le mot ! Vous êtes au courant du bal qu'ils organisent le dernier samedi de novembre pour célébrer le quatre centième anniversaire du jardin ? On fait débuter son histoire à l'époque où Marie de Médicis jeta son dévolu sur ce lieu, c'est-à-dire en 1610. La fête se déroulera sous un chapiteau géant qui sera installé devant le palais. On a commandé une boule à facettes comme on en voit dans les boîtes de nuit, qui sera suspendue par une grue au-dessus du bassin. Elle aura dix mètres de diamètre et pèsera une tonne !

Je peux fumer, enfin. Nous sommes assis sur la margelle en pierre qui entoure le bassin. Les gros poissons qui filent sous les bateaux et les canards sont bien des carpes.

— L'ancien méridien de Paris passait à cet endroit, son point de départ étant l'Observatoire. C'est ce méridien qui nous servait de référence pour mesurer les longitudes. On pouvait raisonnablement prétendre alors que le grand bassin était le nombril du monde. Hélas, il y a une centaine d'années nous avons récusé notre méridien pour adopter, comme tout le monde, celui de Greenwich.

J'ai tant lu Jules Verne qu'il me paraît soudain indispensable de citer les coordonnées géographiques du lieu où je passe mes journées. L'auteur du *Capitaine de quinze ans* commence souvent ses récits, tout au moins ceux qui se déroulent sur un bateau, par cette information. Mais M. Jean ne sait pas exactement à combien de degrés de longitude et de latitude se trouve le Luxembourg. Cela le contrarie, il fronce les sourcils, donne un coup de pied dans un caillou.

— Je poserai la question à un ami professeur d'astronomie. Je vous dirai cela la prochaine fois, promet-il.

Il regarde sa montre.

— Je suis obligé de vous quitter. Elvire doit m'attendre à la maison.

— Vous habitez près d'ici ?

Il devient évasif.

— Ni près, ni loin, dit-il.

Il me semble que quelque chose s'est rompu à Aix, que l'opération a modifié ma perception de la réalité. Je la regarde toujours attentivement, mais comme on visite une exposition. J'ai tendance à la critiquer, à estimer par exemple que les immeubles ont plus d'étages qu'il n'en faut, trop de fenêtres et peut-être pas assez de portes. Je trouve excessif le nombre de bouches d'égout que je vois sur mon chemin : il y en a sept entre l'hôtel Perreyve et le jardin. On dirait que les canalisations sont habitées et que chaque locataire dispose de sa propre voie d'accès. Ces entrées sont fermées par des tampons ronds en fonte, troués au centre par une ouverture large comme la main. L'une d'elles est entourée d'entailles disposées à la manière des rayons du soleil : je me dis qu'elle doit être réservée au chef des égoutiers. La grille du Luxembourg me paraît trop imposante : elle est constituée de fers de lance hauts de quatre mètres, surmontés d'une pointe dorée, si rapprochés qu'un enfant ne pourrait pas passer sa tête au travers. Ils donnent au jardin la sinistre apparence d'une prison à ciel ouvert.

La réalité est devenue en même temps un peu lointaine. Pendant que je l'observe, je prends conscience de la distance qui me sépare d'elle. Je juge quelquefois superflu d'étendre la main, comme si toutes les choses étaient inaccessibles. Aurais-je pris congé de la réalité ? Je me sens en tout cas dégagé des règles auxquelles j'ai été soumis toute ma vie, un peu comme un nouveau retraité. Cette situation inédite m'angoisse, elle provoque aussi en moi par moments, de façon brusque, une grande euphorie. L'espace supplémentaire dont je dispose m'apparaît alors comme une aire de jeux. Il me fait songer au jardin de Callithéa. Il n'y avait que quatre arbres, deux acacias, un grenadier et un mandarinier qui produisait de toutes petites mandarines. Une grille basse séparait l'espace dallé, où je jouais au basket avec mon frère, du jardin. Elle était munie d'un portail qui grinçait en pivotant sur ses gonds. Je m'étonne que mes anciens amis ne soient pas partis, qu'ils m'aient attendu tout ce temps. Je les prie néanmoins d'excuser mon retard.

— N'en parlons plus, disent-ils. À quoi on joue maintenant ?

Ils ont du mal à se mettre d'accord. Finalement c'est la proposition de l'Indien qui emporte l'adhésion générale :

— On n'a qu'à se cacher quelque part et attendre.

On se cachait en général dans la remise qui occupait l'un des angles du jardin et où mon père rangeait diverses choses, notamment deux lits de camp qu'il avait trouvés dans un entrepôt allemand après la Libération. Ce local avait des usages multiples : Georges Azur l'utilisait pour entrer en communication par un poste de TSF avec le quartier général de l'armée grecque qui s'était installé pendant l'Occupation au Moyen-Orient, les Indiens pour tenir leurs assemblées générales, des savants américains pour mettre au point leur voyage sur la lune, Zorro pour se changer, Jane pour donner des cours d'anglais à Tarzan, Cyrano pour composer ses lettres d'amour à Roxane. Il nous servait aussi d'infirmerie : on y soignait ceux qui avaient été atteints d'une flèche, d'une balle, d'un coup d'épée ou bien qui avaient été mordus par un serpent venimeux. Je savais que la meilleure chose à faire dans ce dernier cas était d'entailler la chair à l'endroit de la morsure avec une lame de rasoir pour faire surgir le maximum de sang.

Nous étions souvent assiégés et nous avions très faim. Le goûter que m'apportait ma mère ne suffisait pas pour tout le monde. Je priais sainte Thérèse de nous venir en aide : une image d'elle, aux tons sépia, semblable à une vieille photographie, était fixée au mur avec des punaises. La même image, mais encadrée, se trouvait dans la salle à manger. La sainte veillait en somme aussi bien sur la maison que sur le jardin.

Les jours de grand vent la remise devenait le poste de pilotage d'un vaisseau, dont les acacias figuraient les mâts et les vêtements que faisait sécher ma mère sur une corde les voiles. Nous étions en grand danger car nous prenions l'eau par l'orifice qui était aménagé au pied du mur de clôture. Il était destiné à faciliter le travail des vidangeurs qui faisaient passer par là un gros tuyau, relié à un camion-citerne, qui leur permettait de nettoyer notre fosse d'aisances.

Sur quel océan voguions-nous ? Nous ne le savions pas, nos instruments de navigation ayant été mystérieusement déréglés. Nous croisions périodiquement la trière d'Ulysse mais nous ne prenions pas la peine de lui demander notre chemin car il avait l'air aussi perdu que nous. Parfois, comme Christophe Colomb, nous accostions sur un autre continent que celui que nous escomptions atteindre. Nous avions de plus en plus faim. Ai-je dit que mon père avait aménagé un poulailler dans le jardin ? Nous avions mangé toutes les poules. Il ne nous restait plus que les vers de terre pour tromper notre faim. J'étais chargé de cette collecte, qui dégoûtait mon frère. Je creusais la terre avec mes mains. Les vers, qui étaient roses, s'agitaient beaucoup, comme effrayés par la lumière du jour. Alice m'observait d'un œil désapprobateur. Elle était elle aussi dans le jardin, mais elle ne participait pas à nos jeux. Elle se tenait à l'écart et avait de longues conversations avec un lapin blanc en gibus et en gilet, aussi grand qu'elle.

Les enfants étaient admis dans notre équipe. Ils n'avaient pas de parents pour la plupart et avaient déjà été durement éprouvés par la vie. Jane Eyre évoquait inlassablement sa scolarité, Oliver Twist son séjour chez un entrepreneur de pompes funèbres qui le faisait dormir au milieu des cercueils. La remise faisait aussi office d'orphelinat.

Les femmes, elles, étaient peu présentes. À l'exception de Katérina, l'amie de Georges Azur, qui luttait avec le même acharnement que lui contre les Allemands, elles étaient plutôt chargées de nous consoler de nos malheurs, de nous distraire. Elles venaient à heures fixes, comme on se rend à l'hôpital. Robin des Bois recevait Marianne, le Saint Patricia, Michel Strogoff sa mère, la seule femme qu'il aimât vraiment, Ivanhoé tantôt lady Rowena, tantôt Rébecca, quant à Don Quichotte il attendait en vain sa Dulcinée. Les jours fériés Esméralda exécutait un pas de danse pour le plaisir de tous. L'effroyable Milady n'osait naturellement pas se montrer devant nous. Elle élaborait ses funestes projets en compagnie du cardinal derrière le mur de clôture, rue Philarète. Les coquins n'étaient pas admis dans le jardin de Callithéa. Cet endroit exposé à tous les périls était en même temps une espèce de paradis. Je faisais en somme la synthèse de tous les « Classiques illustrés » que j'avais lus, je rêvais d'un roman réunissant tous mes amis. Je suis en train de me souvenir d'un livre que je n'ai jamais écrit.

Ma nouvelle vie commence à prendre forme grâce aux relations que je me suis faites, grâce aussi à mon travail d'écriture qui m'occupe deux ou trois heures par jour. J'ai demandé à la femme de ménage, une Martiniquaise plutôt âgée, de secouer ma couverture par le balcon afin de la débarrasser des brins de tabac et de gomme qui sont tombés dessus. Elle s'est étonnée, elle aussi, que j'écrive au crayon.

— Vous iriez tellement plus vite si vous utilisiez un ordinateur ! a-t-elle remarqué.

Je lui ai donné la même réponse que j'ai déjà faite à bien des gens :

— Je ne cherche pas à aller vite.

J'aurais l'air d'un parfait imbécile devant un

ordinateur car j'ai peu d'idées et elles arrivent en ordre dispersé. Le crayon m'aide à patienter en attendant qu'elles viennent : je le taille pratiquement au bout de chaque phrase. Mon cas n'est pas aussi singulier que l'imagine la femme de ménage : Jean-Marc et Charles écrivent eux aussi au crayon.

Charles, qui a dirigé autrefois un grand journal littéraire, est revenu me voir.

— Je croyais que tu avais quitté l'hôtel, m'a-t-il dit.

Quand pourrai-je affronter les étages de la rue Juge ? Personne n'a pu me le dire, ni l'infirmière, ni la kinésithérapeute, ni la laborantine du boulevard Raspail où je fais mes analyses de sang, ni même le chirurgien d'Aix, à qui j'ai téléphoné :

— Un jour vous vous rendrez compte par vous-même que vous êtes capable de monter un escalier.

Il m'a recommandé de prendre rendez-vous avec un de ses confrères parisiens qui exerce à l'hôpital Saint-Joseph. J'écris aussi difficilement que je me déplace. L'idée m'est venue que je ne pourrai rentrer chez moi que lorsque j'aurai fini ce texte. « Chaque phrase que je rédige me rapproche d'un mètre de mon studio », ai-je pensé.

L'infirmière et la kinésithérapeute ont cessé leurs visites : elles estiment que je n'ai plus besoin de leurs services. Je change tout seul mes pansements le matin, puis je me mets debout derrière une chaise et je m'applique à fléchir les genoux en m'appuyant sur son dossier. Je regarde pendant ce temps par la fenêtre les toits de tôle ou d'ardoise et les cheminées qui dégagent une épaisse fumée blanche. Sur la droite je distingue le dôme de l'Académie française : il est sillonné de dorures qui le découpent en tranches comme une pastèque.

Charles connaît bien le jardin du Luxembourg : il a fait ses études de philosophie à la Sorbonne, qui est à deux pas. En Mai 68 il s'est baigné nu dans le grand bassin avec d'autres étudiants. Le lendemain les sénateurs ont ordonné la fermeture des grilles comme l'avait fait la duchesse de Berry, mais c'était pour mettre un terme aux réjouissances et non pour les stimuler.

— On ne peut pas vraiment nager dans le bassin car il a moins d'un mètre de profondeur. Les filles aussi s'étaient mises à poil. Les sénateurs nous épiaient massés derrière les fenêtres du premier étage. Ce sont des gens prudes. Ils ne supportent même pas qu'on prenne le soleil en maillot de bain dans leur jardin. La morale tient lieu de philosophie aux gens qui n'ont pas d'idées.

» Tu as remarqué les statues des reines de France qui sont exposées autour du bassin ? Elles datent du XIXe siècle. Ce sont des matrones aux grands pieds. L'une d'elles a paraît-il été pulvérisée un jour d'orage par un coup de foudre : c'est le sort qu'elles méritent toutes. Elles sont de nature à dégoûter la jeunesse à la fois des femmes et de la sculpture.

» La seule femme désirable est la nymphe Galatée qui est couchée au bord du bassin de la

104

fontaine Médicis. Ses seins, ses cuisses sont splendides. Derrière elle se tient le berger Acis et au-dessus du couple le cyclope Polyphème. Celui-ci a l'air vivement intéressé par les ébats des jeunes gens : il ne se souvient plus apparemment que dans *L'Odyssée* Ulysse lui a crevé son œil unique.

« C'est la beauté de la nymphe qui empêche les visiteurs de se rendre compte de l'illusion d'optique produite par le plan d'eau de la fontaine », ai-je pensé. Charles m'a soudain interrogé sur les causes de la crise économique que traverse la Grèce. J'ai dû lui avouer mon incompétence.

— La crise m'oblige à lire des articles que je ne comprends pas. Je sais seulement que les Grecs se sont endettés comme s'ils étaient convaincus que la fin des temps était proche et qu'ils n'auraient jamais à rembourser leurs créanciers. Le poids de l'histoire est trop grand en Grèce, le passé ne laisse guère de place à l'avenir. Mais on peut aussi bien penser que les tragédies auxquelles mes compatriotes ont survécu au cours des siècles les ont persuadés que les choses finissent toujours par s'arranger. Seule l'Église gère convenablement son argent et le fait fructifier. J'ai appris que l'archevêque d'Athènes allait se rendre au Qatar pour négocier la vente de terrains en bord de mer appartenant à son diocèse. Mais aucun gouvernement n'ose toucher à la fortune de l'Église : la Grèce fait la manche assise au pied d'une montagne d'argent.

Il m'écoutait attentivement, d'un air abattu même, comme si la situation de la Grèce le concernait personnellement. « Il se fait du souci pour moi », ai-je pensé.

— Je connais plusieurs femmes de quarante-cinq ans, divorcées, mères de deux enfants, qui ne peuvent plus payer leur loyer et qui envisagent de rentrer chez leurs parents, ai-je ajouté. La crise risque d'accroître encore l'emprise étouffante des familles sur les jeunes générations. Nous sommes en train de devenir un pays de vieux.

Il était assis au bord du lit et avait les yeux fixés sur le *Robert*.

— On va vous aider, a-t-il dit en souriant. On va vous rembourser chacun des mots qu'on vous a empruntés, à commencer par le mot « économie ».

À sept heures et demie du soir Charles a absolument besoin de boire un verre de vin, nous avons donc quitté la chambre. Afin de marcher un peu plus que je ne le fais d'ordinaire, je lui ai proposé de nous rendre au Café de la Mairie, place Saint-Sulpice. Chaque maison d'édition que j'ai fréquentée m'a permis de découvrir un nouveau café : les éditions Julliard, où j'ai publié mes premiers romans, et qui avaient leur siège près de la place Saint-Sulpice, m'ont fait connaître le Café de la Mairie, le Seuil le Chai de l'Abbaye, Fayard le Sauvignon, rue de Sèvres, Stock le Fleurus, que je connaissais avant mon installation à l'hôtel Perreyve. Comme je n'ai pas travaillé uniquement pour l'édition, je devrais ajouter à cette liste le café qui se trouvait en face du *Monde* à l'époque où le journal était logé rue des Italiens, ainsi qu'un établissement proche de la Maison de la radio, qui s'appelle judicieusement Les Ondes.

Nous sommes passés devant le Fleurus dont les stores étaient baissés, puis nous nous sommes engagés sur le trottoir qui borde le Luxembourg. J'ai pu vérifier ainsi que le jardin ne dispose d'aucun éclairage. Les arbres eux-mêmes étaient à peine visibles. J'ai cru discerner cependant un mouvement du côté des terrains de tennis. « Ça doit être Ricardo », ai-je pensé. Nous marchions en silence. Charles fumait sa pipe. Je l'enviais un peu, étant dans l'incapacité d'allumer la mienne. « Je fumerai à la terrasse du café. » Il faisait frais, certes, mais pas encore froid. « L'hiver arrivera brusquement. Un matin le paysage sera gelé. Je ne pourrai plus sortir de l'hôtel. » À l'angle de la rue Guynemer et de la rue de Vaugirard, nous nous sommes arrêtés quelques instants à cause du trafic. J'ai remarqué un petit bâtiment à un étage à l'intérieur du jardin, dont tous les volets étaient fermés et qui ne laissaient filtrer aucune lumière. Charles s'est baissé pour vider sa pipe en la frappant vigoureusement par terre.

— Balzac a habité rue de Tournon, en face de l'entrée principale du Sénat, m'a-t-il dit. Il avait la politesse de raccompagner ses invités après dîner le long de cette grille en les éclairant d'un bougeoir.

J'ai songé que la lumière de la bougie devait animer les pointes dorées qui couronnent la grille : je les ai vues prendre à tour de rôle l'aspect d'une flamme.

— Mais il n'aimait pas le Luxembourg. Il le considérait comme un repaire de vieillards chagrins et d'enfants mal élevés. Bien des écrivains illustres comme Stendhal, Flaubert, Baudelaire, Verlaine ont leur buste dans le jardin, mais pas Balzac. Il n'en est pas totalement absent pourtant : le sculpteur Zacharie Astruc s'est souvenu de lui en réalisant son *Marchand de masques*. Il s'agit d'une statue de bronze placée près de l'École des mines, dans la partie sud-est du jardin, représentant un jeune homme fluet qui tient à la main le masque de Victor Hugo. Autour de ses pieds sont disposés quelques visages supplémentaires, dont ceux de Dumas et de Balzac. Je ne sais pas comment il faut voir cette œuvre, comme un hommage ou une moquerie. Je penche pour la seconde hypothèse à cause de l'expression enjouée du garçon qui contraste avec la gravité des figures qu'il propose à la vente. Bien que l'œuvre date de la fin du XIXe siècle, je considère ce jeune homme comme un enfant de Mai 68.

À l'entrée de la rue Bonaparte, qui fait suite à la rue Guynemer et qui traverse à la fois la place Saint-Sulpice et la place Saint-Germain, nous attendait une autre statue de bronze, installée sur le trottoir de gauche, à côté de l'entrée de l'Institut culturel hongrois. Elle est exécutée de façon si réaliste qu'on pourrait croire que la femme aux formes généreuses, assise sur un banc, est vraie. Elle est coiffée d'une capeline de paille et a les pieds nus. Elle occupe l'extrémité d'un banc qui a la forme insolite d'une table basse, ce qui fait qu'il y a au moins une place libre à ses côtés. Elle est belle comme les actrices italiennes des années 60, les Gina, les Stefania, les Claudia, les Rossana.

Nous aurions sans doute été tentés de traverser la rue pour mieux la voir, si un attroupement de jeunes ne venait de se former devant nous. Ils avaient tous sur le front une lampe de mineur et portaient des bottes en caoutchouc. Notre présence les a gênés quelque peu, mais pas suffisamment pour les empêcher d'accomplir ce qu'ils avaient à faire. Ils ont ouvert une porte basse, ménagée dans le mur de soutènement du petit square qui se trouve juste au-dessus, et se sont précipités en file indienne dans un escalier en colimaçon qui descendait dans les profondeurs. Nous les avons vus tous disparaître, à l'exception d'un garçon qui a poussé la porte derrière eux mais sans se donner la peine de fermer le cadenas qui l'attachait à un piton fixé au mur. Il a répondu spontanément à notre curiosité :

— Nous sommes des élèves de l'École des mines. Nous mettons au point le bizutage des élèves de première année qui a traditionnellement lieu dans les catacombes. Vous n'êtes pas des flics, j'espère ?

Charles tenait toujours sa pipe.

— Je n'ai jamais vu un flic fumer la pipe, a-t-il ajouté.

— Vous oubliez le commissaire Maigret, a observé Charles.

J'avais sérieusement envie de fumer, je les ai donc priés de m'accompagner jusqu'au trottoir d'en face où je me suis assis sur le banc de la belle Italienne. J'ai posé mes béquilles sur ses genoux. Elle avait le corsage à moitié déboutonné. « Je viendrai la voir tous les jours, ai-je pensé. Je finirai bien par la convaincre de me suivre à l'hôtel Perreyve. » Pendant que l'étudiant continuait à parler – Charles avait fait les présentations – j'ai essayé de me rappeler à quand remontait la dernière nuit que j'avais passée avec une femme. Cela faisait longtemps.

— Ce ne sont pas vraiment des catacombes, bien qu'on ait jeté ici ou là des ossements provenant de vieux cimetières engorgés, mais d'anciennes carrières d'où l'on a extrait la pierre qui a servi à la construction de Paris : au fur et à mesure que la ville s'étendait, son sous-sol se vidait et forme aujourd'hui un dédale de galeries qui communiquent toutes entre elles et qui totalisent trois cents kilomètres de longueur. Il y a une autre ville sous nos pieds qui s'étend sous le réseau du métro, à vingt mètres de profondeur, ce qui est à peu près la taille d'un immeuble.

La curiosité que j'avais eue autrefois pour les égouts de Paris m'est revenue en mémoire.

— Les égouts passent juste sous la chaussée, m'a expliqué l'étudiant. Il existe cependant un endroit, rue Guynemer, où des amateurs ont creusé une tranchée dans la paroi de l'égout, qui permet de descendre jusqu'aux catacombes.

— Mais des amateurs de quoi ? s'est étonné Charles.

Le jeune homme a réfléchi.

— Les carrières assurent un dépaysement total, a-t-il dit finalement. Elles forment une ville
sans lumière et sans bruit qui ne ressemble à nulle
autre, extrêmement humide, plutôt malsaine en
somme, mais qui exerce un genre de fascination.
On a l'impression de passer une frontière quand
on descend aussi profondément sous terre. Je
connais des gens qui descendent simplement
pour faire la fête, d'autres qui étudient les traces
du passé sur les murs des galeries. Tous sont unis
par une espèce de complicité, ils sont conscients
d'appartenir à la grande famille des cataphiles,
comme ils se nomment eux-mêmes. Il arrive que
l'on croise du monde dans ces tunnels, comme
dans n'importe quelle rue.

» Théoriquement il est interdit de pénétrer dans
les carrières, mais elles possèdent mille entrées, de
sorte que la police n'est pas en mesure d'entraver
l'activité des cataphiles. Il est plutôt rare qu'on
puisse y accéder par une vraie porte. La plupart du
temps on est obligé de soulever un de ces tampons
de fonte qui émaillent les trottoirs. Certains accès
mènent aux égouts, d'autres aux carrières.

— Comment distingue-t-on les uns par rapport aux autres ? ai-je demandé.

— Tous les tampons sont ronds. Cependant
ceux qui communiquent avec les catacombes
portent généralement les initiales de l'Inspection
générale des carrières et sont entourés d'un fais-
ceau de traits concentriques.

— J'en ai vu un rue de Fleurus ! ai-je annoncé
non sans enthousiasme à Charles.

Mais j'ai compris que son souci immédiat n'était pas de découvrir un accès de plus aux catacombes. Nous avons donc retraversé la rue et laissé l'étudiant à son poste.

— Je reste ici pour empêcher les automobilistes de se garer sur le trottoir et de bloquer la porte.

Avant de nous séparer, je lui ai encore demandé quel était le programme pour le baptême des élèves de première année.

— Nous allons les laisser seuls un moment, le temps qu'ils commencent à prendre peur. Il est très facile de s'égarer dans les galeries, bien qu'elles portent des noms de rues. Mais ces noms ne correspondent plus à ceux de nos rues actuelles : la rue Bonaparte, par exemple, s'appelle en sous- sol rue du Pot-de-Fer, et la rue d'Assas rue de l'Ouest. Nous leur avons imposé par ailleurs de se présenter dans un accoutrement insolite.

Le Café de la Mairie n'a guère changé depuis la publication du *Sandwich*, sauf qu'il dispose aujourd'hui d'un nouvel espace à l'extérieur, couvert de bâches transparentes, destiné aux fumeurs. En prenant place à cet endroit, je me suis rappelé la fin de mon roman, car il s'achève justement dans un café où se rend mon narrateur après avoir tué sa femme. J'ai commandé comme lui un sandwich et un demi. Le serveur m'a adressé la même question qu'on lui pose alors :

— Jambon, pâté, saucisson, gruyère ?

Je n'ai pas pu me souvenir de sa réponse, qui

clôt le livre. J'ai pris un sandwich saucisson. Charles s'est contenté d'un verre de bordeaux.

— Les catacombes m'ont fait songer au royaume souterrain d'Hadès où habitent les ombres des morts, m'a-t-il dit. Les cataphiles sont peut-être des amateurs d'ombres. Je sais qu'Hadès est très riche car il possède tout l'or qui se trouve dans la terre.

« C'est lui désormais le propriétaire des médaillons de Marie de Médicis », ai-je pensé. J'ai fait un grand effort pour rassembler mes souvenirs concernant le royaume d'Hadès. Soudain j'ai éprouvé une vive joie car j'ai retrouvé un détail qui m'a paru merveilleux.

— Hadès dispose cependant d'un palais, à proximité du fleuve que traversent les morts pour accéder à l'autre monde. Un seul arbre pousse devant sa demeure : un cyprès blanc.

Charles fut lui aussi impressionné par cette image.

— On doit bien se douter, quand on croise un cyprès blanc sur sa route, qu'on est passé de l'autre côté de la vie, a-t-il dit.

Il a fini son verre et s'est empressé d'en commander un autre.

5

On me demande parfois pourquoi j'écris à la première personne. J'interroge à mon tour mes mains qui reposent de part et d'autre d'un petit tas de feuilles blanches, l'une tenant le crayon, l'autre ma pipe :

— Pourquoi écrivez-vous donc à la première personne ?

La question les embarrasse, les rend même un peu nerveuses. La main droite abandonne momentanément le crayon et me gratte la joue. Puis elle redresse mes lunettes. Elle finit par s'emparer de la grosse boîte d'allumettes et rallume ma pipe. Un nuage de fumée survole le tas de papier et se dirige vers mes genoux, qui me servent de pupitre étant donné que j'écris dans le lit. La feuille que j'ai sous les yeux n'est pas complètement vierge : j'y vois l'ombre de mes mains et aussi de mes cheveux, au bas de la page. La première personne me permet de rendre compte de cette image et aussi de la difficulté de composer une histoire. Elle m'autorise à exposer mes doutes, à les tourner à mon avantage. Quelle que soit l'histoire qu'on raconte, je ne suis pas convaincu qu'elle présente plus d'intérêt que l'aventure de son élaboration même. Je sais bien que la plupart des grands auteurs n'interrompent jamais le cours de leur récit pour évoquer leurs états d'âme, ils se tiennent constamment cachés derrière un paravent. On ne voit que leurs chaussures. On a beau leur dire « Je t'ai vu ! », ils ne se dévoilent jamais. Ont-ils raison ? Je trouve que leurs œuvres manquent de temps morts, de parenthèses. Ils parlent de tous les métiers sauf du seul qu'ils connaissent vraiment, le leur. Jules Verne ne dit pas un mot de la charmante bibliothèque d'Amiens où il a conçu bon nombre de ses voyages extraordinaires. Les personnages de roman ne sont jamais des auteurs et ne lisent pas de livres. À l'exception de Don Quichotte qui est un produit de ses lectures et de Cyrano qui est poète, les héros ignorent la littérature. Je suis à peu près sûr que ni Jean Valjean, ni d'Artagnan, ni Robin des Bois, ni le Dr Jekyll n'ont jamais ouvert un roman. Dracula lisait peut-être de son vivant, mais il y a si longtemps que cela ne compte plus. Les personnages de Jules Verne se contentent de feuilleter des indicateurs de chemins de fer. Je dois admettre toutefois que même dans mes modestes récits, les gens que je fais intervenir prennent de plus en plus de place au fur et à mesure que l'histoire avance et qu'ils finissent par effacer mon ombre sur le papier. L'auteur est une sorte de secrétaire de mairie qui enregistre les naissances, les mariages, les décès, et qui ménage par une série de rendez-vous le roulement de ses fantômes.

— Et pourquoi écrivez-vous ? interroge-t-on aussi.

Est-ce une activité saugrenue, comme la cleptomanie ou le saut en parachute ? Je regarde encore mes mains. La main droite lâche à nouveau le crayon et s'approche de mon visage. Elle ne va pas me gifler, j'espère ? Non, bien sûr. Elle me gratte cette fois-ci la tête : c'est tout ce qu'elle peut faire pour m'aider à trouver une réponse. J'ai découvert de bonne heure que la vie n'avait rien de plus beau à m'offrir que des mensonges. Je l'ai su grâce aux lectures que me faisait ma mère le soir. Je ne rêvais pas encore d'écrire, pour la bonne raison que je ne savais même pas lire, j'envisageais cependant de devenir un grand menteur. Je m'appliquais d'ailleurs à mentir le plus possible, ce qui me valait un certain succès. J'ai su très tôt en somme que la meilleure façon de raconter un événement était de l'inventer. La vie ne laisse guère de place à l'imagination : il lui arrive certes de faire preuve d'un certain sens poétique, mais très rarement, hélas. Quelque temps avant mon opération, alors que j'étais sorti du restaurant où je dînais pour fumer, j'ai vu un clochard déposer la multitude de sacs qu'il trimballait dans l'entrée d'un immeuble en ravalement, après quoi il est venu vers moi :

— Pourriez-vous me garder mes affaires un moment ? m'a-t-il demandé.

J'ai été flatté par sa confiance. Il est revenu au

bout de vingt minutes : j'ai supposé qu'il était allé boire un dernier coup avec un ami. Il m'a remercié, ensuite il a commencé à étaler ses couvertures et ses cartons pour la nuit. Mais la vie est avare de tels incidents : quand elle en produit un j'ai l'impression qu'elle me fait l'aumône. Voilà sans doute pourquoi j'écris : pour combler un vide qui s'élargit sans cesse. La page blanche me répète inlassablement :

— Tu es libre, tu es libre, tu es libre !

Vais-je l'avouer ? Cela m'émeut aux larmes.

Ai-je la nostalgie du temps où ma mère me faisait la lecture ? Je me souviens que je pensais souvent à elle en écrivant mon premier livre : je voulais lui rendre un peu du plaisir que j'avais eu autrefois à l'écouter.

Est-ce parce que je suis obligé de réapprendre à marcher que j'éprouve fréquemment le besoin de remonter si loin dans le passé ? Mes premiers pas je les ai faits dans le jardin de Callithéa, sur l'étroite bande de ciment qui traversait la terre et qui allait du portillon de la cour pavée jusqu'au poulailler. Ma mère s'était placée devant le poulailler et m'avait donné cet ordre stupéfiant :

— Viens ! ce qui, en grec, se dit *Ela !*

J'étais accroché des deux mains sur l'appui de la grille qui entourait la cour, à côté du portillon. À la troisième ou quatrième injonction, j'ai obéi.

Jamais notre jardin ne m'a paru si grand que la première fois où je l'ai traversé tout seul.

Si les jours passent désormais relativement vite, les nuits, elles, sont devenues interminables. J'ai du mal à m'endormir et me réveille toutes les heures. Je vais aux toilettes, ce que les héros ne font jamais, même chez Dumas où pourtant on boit et on mange beaucoup. Puis je me regarde dans le miroir du lavabo. Je relève que mes joues se sont creusées, ainsi que mes rides. Les cinq lignes qui marquent mon front me font songer à une portée de musique privée de notes. Je n'ai pas un visage intéressant. Je n'aime pas être pris en photo, je trouve toujours que la photo serait bien meilleure si je n'avais pas été là. J'évite de me raser trop souvent, car cela m'oblige à me regarder bien en face. Je ressemble à ces vieilles affiches de candidats aux élections oubliées sur un mur depuis des lustres et qui ont été bien abîmées par les intempéries. Je n'ai pas les narines larges des figures romanesques, qui leur assurent une respiration aisée pendant les combats. Mon nez est plutôt petit, un peu comme celui de Guignol, et de plus je suis très souvent enrhumé. Enfant, je glissais systématiquement un mouchoir sous mon oreiller. J'avais peur de mourir étouffé pendant mon sommeil, sans même m'en rendre compte. Mon regard est dépourvu de l'intensité qui caractérise les individus audacieux et les enquêteurs perspicaces. Mes yeux sont d'un marron plutôt terne et ne jettent de reflets d'aucune sorte. Je me considère avec cette expression maussade qu'affichent en se dévisageant les usagers du métro.

Mes oreilles qui sont grandes ne m'obsèdent plus. L'expérience m'a prouvé que le beau sexe ne tient pas rigueur de ce défaut. Je ne suis plus convaincu aujourd'hui que le nez de Cyrano mérite de faire l'objet d'un véritable drame. Pourquoi donc resté-je si longtemps devant le miroir ? Si j'avais quelque chose à me dire ne devrais-je pas le savoir ? Comme je ne comprends pas pourquoi je me regarde, j'ai du mal à interrompre cet examen. Je suis fasciné par mon incompréhension probablement. Mes dents sont en piteux état, à cause du tabac. Par moments je crois percevoir à travers le trou d'évacuation du lavabo les cris des rats qui se battent dans les égouts.

J'arrive à me déplacer dans la chambre sans mes béquilles. En m'appuyant sur les bords du lit j'accède à la porte-fenêtre que j'ouvre. L'air de la nuit achève de me réveiller. Je reste un moment sur le balcon, accoudé à la balustrade, je contemple la ville qui baigne dans la même lumière orange que le parvis de l'hôpital d'Aix. Les feux de signalisation au carrefour de la rue Madame et de la rue de Vaugirard s'allument et s'éteignent pour rien. Il n'y a plus de voitures à cette heure, ni de piétons. J'ai l'intuition cependant que quelque chose va se produire, que mon attente sera récompensée. Je me souviens de Mr Hyde assommant à coups de canne une fillette, et d'Esméralda menacée par une bande de truands, qui n'a la vie sauve que grâce à Quasimodo. Les scènes nocturnes sont souvent sombres, comme il se doit. L'obscurité est propice aux assassins non seulement parce qu'elle leur permet d'opérer en douce, mais aussi parce qu'elle atténue la gravité de leurs forfaits : la nuit on ne tue jamais que des ombres. Mais elle est favorable également aux escapades des amoureux et aux tentatives d'évasion des prisonniers. Tiens, un chat. Je le suis des yeux jusqu'au coin de la rue Madame et de la rue de Fleurus où il prend la direction du Luxembourg. L'éclairage public projette des ronds sur le trottoir qui débordent un peu sur la chaussée. J'aimais bien la nuit autrefois. Je veillais tard dans le jardin, assis sur une espèce de borne en brique munie d'un gros robinet. Mes amis dormaient profondément dans la remise. Don Quichotte avait le sommeil très agité. Les acacias ressemblaient à des arbres de Noël, tant il y avait d'étoiles accrochées à leurs branches. Il faut dire que le ciel de l'Attique était beaucoup moins pollué à cette époque et qu'elles brillaient davantage qu'aujourd'hui. L'intérêt que je portais déjà aux femmes et dont je me sentais infiniment coupable me paraissait moins funeste la nuit. Le ciel nocturne m'autorisait à faire la paix avec moi-même. Mais ces moments de quiétude ne duraient que jusqu'à l'apparition de la lune, qui jetait un regard froid sur mes secrets. J'étais persuadé qu'elle était un agent du soleil venu m'espionner. Elle éclairait si bien le jardin que je distinguais les poules endormies dans le poulailler. Aussitôt qu'elle se présentait, je rentrais à la maison où ma mère s'impatientait.

— Qu'est-ce que tu faisais dehors à cette heure ? me questionnait-elle.

Je ne manquais pas de prétention car je lui répondais gravement :

— Je réfléchissais.

Mon attente est récompensée en effet car je vois apparaître rue de Fleurus, du côté où le chat s'est éclipsé, un homme traînant derrière lui une voiture jaune de la taille d'un jouet. Il la tient par une ficelle. Je découvre qu'une autre ficelle relie cette première voiture à une deuxième qui est une ambulance semblable à celle qui me transporta à l'hôpital d'Aix. L'homme ne marche pas plus vite que je ne puis le faire en ce moment. Est-il âgé ? Je ne vois pas son visage de la hauteur où je suis, il porte d'ailleurs une casquette. Il est habillé comme un jeune homme d'un blouson rouge, de jeans et de baskets, cependant sa silhouette est voûtée. Un troisième véhicule surgit derrière l'ambulance puis un quatrième : ce sont des décapotables. Vient ensuite un corbillard. Je suis enchanté du spectacle, je pense déjà à l'incorporer dans mon récit : « J'ai vu un homme en train de promener sa collection de voitures », écrirai-je. Le mot « collection » n'est pas excessif car il s'agit d'un véritable convoi composé aussi d'une jeep, d'un fourgon cellulaire, d'une voiture de pompiers, d'un taxi londonien. La caravane roule au bord de la chaussée en produisant un léger bruit continu, un crissement imperceptible. À la réflexion je trouve tout à fait légitime l'initiative de cet homme : « Il sait que la place des voitures est dans la rue... Il ne peut pas les sortir pendant le jour à cause de la circulation, il les fait donc rouler la nuit. » Juste avant d'atteindre le bâtiment d'angle qui masque la suite de la rue, il s'arrête subitement. La voiture jaune heurte ses chaussures. J'imagine qu'il va se tourner vers moi, qu'il sait pertinemment que je l'observe, qu'il va me saluer de sa main libre, mais non : sans me prêter la moindre attention, il allume une cigarette avec une boîte d'allumettes de cuisine comme celle que je possède. La lueur de la flamme me prouve que j'ai affaire à un personnage bien réel, que je ne suis pas en train de rêver. L'homme tire quelques bouffées puis il poursuit son chemin. Longtemps après sa disparition je vois encore d'autres véhicules, le dernier étant une benne à ordures. Dans l'ambulance j'ai pensé que je serais bien mieux couché sur une montagne de détritus, que j'aurais moins mal. Mais l'attachée de presse de la FNAC n'aurait jamais accepté de prendre place au milieu des ordures. Une nouvelle surprise m'attend un instant plus tard : la benne est suivie par le chat, le même chat que j'ai vu tout à l'heure. « Il a été intrigué par le convoi et a décidé de le suivre. » Je reste encore un moment sur le balcon. Est-ce que l'homme repassera demain à la même heure ? « Non, pensé-je. Il est en train de faire le tour du monde. Il ne reviendra qu'au bout de quatre-vingts jours, mais moi je ne serai plus là. »

Les personnages que je sollicite si souvent au cours de la journée, je les retrouve la nuit sur l'écran de télévision. À deux heures du matin, certaines chaînes repassent de vieux feuilletons inspirés des aventures de Tarzan, d'Alice, de Rémi, le héros de *Sans famille*. J'ai pu me rappeler ainsi à qui la déchéance de Ricardo m'avait fait songer : il s'agit du patron de Rémi, le signor Vitalis, un saltimbanque qui a connu autrefois la gloire en Italie en tant que chanteur. Comme Ricardo, Vitalis préfère oublier le passé : il craint sans doute que sa condition présente ne lui apparaisse, par comparaison, encore plus dure. En voyant Alice s'engouffrer dans le terrier du lapin j'ai pensé aux élèves de l'École des mines : est-ce que les galeries des carrières souterraines sont assez hautes pour leur permettre de marcher debout ? Alice ne peut avancer qu'en rampant car le boyau ne fait que cinquante centimètres de hauteur. Je n'ai jamais douté que les auteurs, contrairement à leurs personnages, lisaient beaucoup : le créateur de Tarzan a affublé la servante de Jane, une grosse Noire très peureuse, non sans ironie je suppose, du prénom d'Esméralda. J'ai vu aussi un film des années 50 tiré des *Misérables*, avec Jean Gabin dans le rôle de l'ancien bagnard. Les scènes qui se passent au Luxembourg sont réellement tournées dans le jardin. J'ai vu Jean Valjean et Cosette s'asseoir sur le banc même où j'ai l'habitude de me reposer. Les arbres étaient nettement plus petits à l'époque.

J'ai noté quelques points de convergence entre ces histoires : Tarzan ignore tout de ses origines, comme Rémi, et possède un singe comme le signor Vitalis. La mère du Seigneur de la Jungle

124

porte le même nom que la petite héroïne de Lewis Carroll. La descente de Rémi dans une mine où il est bloqué par une inondation et la promenade de Jean Valjean dans les égouts, chargé du corps inanimé de Marius, rappellent l'exploration du terrier par Alice. Un peu hâtivement sans doute, j'en ai tiré la conclusion que les écrivains aiment envoyer leurs personnages sous terre. J'ai eu l'idée que je devrais moi aussi visiter un souterrain, et j'ai opté pour les carrières qui, à ma connaissance, n'ont jamais été décrites dans un roman. « Je les inspecterai quand je pourrai marcher normalement. » Je n'aurais pas été déconcerté si, en sortant des égouts, Jean Valjean avait poussé le cri de défi de Tarzan. Il ne peut pas le faire, malheureusement, car il est attendu par Javert.

Quand j'avais découvert *Les Misérables*, d'abord sous forme de bande dessinée, ensuite en version abrégée, la culpabilité de Jean Valjean ne m'avait pas paru aussi extravagante, sans doute parce que j'étais alors aux prises avec mes propres démons. Curieusement, il ne se reproche pas l'amour quasiment incestueux qu'il éprouve pour Cosette, mais les petits larcins qu'il a commis autrefois. A-t-il été élevé, comme moi, chez les frères maristes ? Il a l'air de porter tout le poids du péché originel sur les épaules. On ne le voit jamais ouvrir un livre, il est évident cependant qu'il connaît très bien la Bible. Il accumule les bonnes actions – sauver Marius, son rival, en est une – en vue de sa rédemption. C'est un saint homme qui passe son temps à expier le mauvais départ qu'il a pris dans l'existence. S'il ne songe jamais à casser la figure à Javert c'est que le policier, par le harcèlement impitoyable qu'il lui fait subir, contribue à son salut.

Gabin ne m'a pas convaincu : il est trop fatigué, il se souvient de tous les films qu'il a déjà tournés. Il ne joue à peu près correctement que lorsqu'il est assis. J'ai pensé à plusieurs reprises que Jean Meunier aurait été meilleur dans ce rôle. Le personnage du méchant Thénardier, je l'aurais volontiers confié au serveur de l'Auberge des Marionnettes, mais je dois admettre que Bourvil l'incarne assez correctement.

De toute façon ces textes ne sont pas écrits pour être joués : ils s'adressent à l'imaginaire de leurs lecteurs. Le charme des personnages qu'ils mettent en scène réside dans le mystère qui les enveloppe. Ils sont faits d'une matière qui ne supporte pas les projecteurs. Alice perd toute sa légèreté dès lors qu'on la voit. Ses brusques changements de taille deviennent passablement ridicules à l'écran. Il me semble que la bande dessinée trahit moins les textes, ne serait-ce que du fait qu'elle les cite abondamment. Elle propose une sorte de traduction qui donne envie de connaître l'original. J'ai lu effectivement la plupart des romans dont j'avais pris connaissance grâce à la collection des « Classiques illustrés ». En revanche, les films consacrés au Seigneur de la Jungle que je regardais passionnément ne m'ont jamais convaincu de me procurer les livres d'Edgar Rice Burroughs. Pourquoi les aurais-je achetés ? J'avais l'impression de connaître parfaitement Tarzan, qui faisait partie de mes amis. Ce n'est que bien plus tard que j'ai lu Burroughs : j'ai eu ainsi la révélation d'un personnage plus attachant que celui de mon enfance, qui était pourtant interprété par l'excellent Johnny Weissmuller.

Les auteurs classiques ont décidément le vent en poupe la nuit, car vers quatre heures, sur une autre chaîne, une jeune femme assise dans un fauteuil, les jambes croisées, lit Balzac, Stendhal, Dumas, Verne. Elle ne lit pas très bien, elle manque de souffle au milieu des phrases, elle trébuche sur les mots compliqués, je préfère cependant l'entendre, elle, plutôt que des comédiens déguisés en personnages. Je garde les yeux fixés sur ses jambes : elles sont un peu fortes, mais cela ne me déplaît pas. Le premier poste de télévision que mes parents avaient acquis – c'était une occasion – déformait quelque peu les images, il les écrasait. Ma sexualité a été éveillée par des femmes de petite taille, aux poitrines monumentales, aux jambes robustes. Je continue de les apprécier, contrairement à mon éditeur qui exècre les boulottes. J'imagine que son premier téléviseur était mieux réglé que l'appareil de mes parents. J'ai donc bien du plaisir à rejoindre cette femme la nuit, elle me fait l'insigne faveur de ressusciter les moments les plus heureux de ma vie d'enfant. Elle revient sur chaque titre plusieurs soirs de suite. Lit-elle l'intégralité des œuvres ? Je ne sais pas combien de temps dure sa performance car je n'ai jamais eu le courage de suivre son émission jusqu'au bout.

Aucun personnage de Balzac ne faisait partie de la bande que j'accueillais dans le jardin de Callithéa. Je n'ai connu Lucien de Rubempré, le héros des *Illusions perdues*, qu'après mon installation à Paris. Comme il venait lui aussi d'arriver dans la capitale et qu'il avait l'ambition d'être publié, je me suis très vite pris d'amitié pour lui. Il avait cependant une longueur d'avance sur moi, ayant achevé un manuscrit de poésies intitulé *Les Marguerites*, alors que je n'avais encore rien écrit. Cela ne m'empêchait pas de voir déjà dans les vitrines des librairies le roman que je ne manquerais pas de composer un jour. C'est dans le Luxembourg que Lucien fait la lecture de ses poésies – ce sont des sonnets – à un journaliste influent, bien introduit dans le monde de l'édition. Ce dernier personnage me fait penser à Charles, que j'ai croisé quelques semaines après mon arrivée. La scène confirme la désaffection de Balzac pour le jardin : il n'en dit pas un mot. Il se contente de signaler que les deux amis prennent place sur un banc, entre deux tilleuls. Il s'agit d'un autre banc, car le mien est entouré de marronniers.

J'ai été à nouveau indigné par les difficultés que rencontre Lucien pour se faire publier. Quatre ou cinq nuits plus tard, quand la lectrice s'est attaquée aux *Trois Mousquetaires*, j'ai imaginé que les héros de Dumas faisaient irruption chez un grand éditeur parisien en lui intimant l'ordre d'inscrire *Les Marguerites* dans son programme.

— Mais..., a dit cet homme.

D'Artagnan n'a guère apprécié cette hésitation : vif comme l'éclair, il a dégagé son épée de
son fourreau et lui a lancé cette apostrophe qui
résonne d'innombrables fois dans le roman :

— En garde, s'il vous plaît !

À dire vrai, je vois mal d'Artagnan en train de
défendre un recueil de poésies. Je ne me suis pas
trompé en déclarant qu'il ne lisait rien : Dumas
nous apprend même qu'il était nul à l'école. Il
n'écrit pas davantage, pas même à ses parents qui
ont pourtant de bonnes raisons de se faire du souci
pour lui. Par contre, Aramis lit beaucoup, mais
uniquement des traités de théologie, afin d'entretenir sa vocation refoulée d'ecclésiastique. Il
aurait sûrement été enchanté de discuter du péché
avec Jean Valjean. Celui des mousquetaires qui
pourrait goûter les sonnets de Lucien est Athos,
homme mélancolique et taciturne, irrémédiable-
ment blessé par la trahison d'une femme. Celle-ci,
on le sait, n'est autre que Milady, blonde veni-
meuse au corps de rêve. Seul le cardinal, qui est le
diable, reste insensible aux sortilèges de cette
diablesse. Dumas explique que le prélat est amoureux de la reine Anne d'Autriche, ce qui paraît
tout de même un peu étrange étant donné qu'il
consacre beaucoup d'énergie à lui nuire. Est-ce
parce qu'elle lui préfère le duc de Buckingham ?
On a plutôt le sentiment qu'il n'est amoureux que
du pouvoir et qu'il cherche à brouiller le roi avec
sa femme comme il l'a brouillé avec sa mère.
Marie est toujours présente dans son palais, mais

Dumas se désintéresse d'elle ainsi que de ses plantations. Si les mousquetaires ne pénètrent jamais dans le Luxembourg ils tournent néanmoins autour : ils se battent régulièrement en duel derrière le jardin, dans un enclos abandonné aux chèvres, et habitent les rues avoisinantes : d'Artagnan rue des Fossoyeurs, l'actuelle rue Servandoni, Athos rue Férou, Porthos rue du Vieux-Colombier et Aramis près de la rue Cassette. En quelle année donc l'hôtel Perreyve a-t-il été construit ? J'ai rêvé qu'Aramis avait occupé ma chambre.

Je ne me rappelle pas si dans la version grecque du roman les mousquetaires se vouvoient comme dans la version française : « *C'est vous, cher ami ?* » demande Porthos à d'Artagnan. « *C'est plein de sens, ce que vous dites là, Athos* », déclare d'Artagnan. Mes compatriotes, qui se tutoient volontiers même quand ils ne se connaissent pas, auraient jugé incongru que des amis de cœur comme le sont les mousquetaires se disent « vous ».

J'ai pu mesurer une nouvelle fois l'abîme qui me sépare des vrais héros. Après avoir arraché Mme Bonacieux des mains de ses ravisseurs, d'Artagnan lui propose de l'accueillir dans son logement :

— Chez moi vous serez en sûreté comme dans un temple, lui assure-t-il.

Il m'est arrivé de donner des promesses semblables, mais je ne les ai jamais tenues. Cette lecture m'a en fin de compte plutôt déprimé : il est dur en effet, quand on a mon âge et qu'on peut à peine marcher, de côtoyer des personnes aussi actives. Athos, qui est le plus âgé du groupe, n'a que trente ans. D'Artagnan est presque un enfant : il n'a pas encore atteint sa vingtième année. Il est peu de romans qui donnent autant envie d'entreprendre, de parcourir des espaces, de se battre pour une cause juste, de se réjouir, de vivre enfin.

L'ordre dans lequel on découvre les livres a son importance. L'appréciation qu'on porte sur le dernier est orientée par celui qu'on a lu juste avant. Rejoindre Fabrice del Dongo après avoir passé un moment avec les mousquetaires rend le personnage de Stendhal encore plus pathétique. Voilà un garçon – il est plus jeune que d'Artagnan – qui rêve de participer à l'épopée napoléonienne et qui non seulement choisit la plus désastreuse des batailles, celle de Waterloo, mais qui arrive de surcroît en retard sur le théâtre des opérations, de sorte qu'il ne voit que quelques soldats qui s'enfuient et un peu de fumée qui monte à l'horizon. « *Ceci est-il une véritable bataille ?* » s'interroge-t-il sans cesse. Il craint que sa déception ne tourne au cauchemar, car les Français avec qui il entre en contact pourraient le prendre pour un espion, étant donné qu'il est italien. Alors il est obligé de leur mentir, d'avancer un faux nom, et déclare être parent d'un certain capitaine Meunier. Cela m'a fait penser à nouveau à M. Jean et, par voie de conséquence, à Victor Hugo. Je me suis remémoré ainsi que

l'auteur des *Misérables* évoque également la bataille de Waterloo, à cette différence près qu'il
arrive, lui, en avance sur les lieux et qu'il décrit par
le menu le mouvement des troupes comme s'il
faisait partie de l'état-major de l'Empereur. Hugo
se place dans la lignée d'Homère : Waterloo c'est
sa guerre de Troie. Stendhal ne s'intéresse qu'aux
tourments de Fabrice et pas du tout à ceux de
Napoléon. Il raille son personnage, mais la charge
est mesurée, affectueuse même. « *Jamais je ne serai
un héros* », conclut Fabrice.

Mon poste de télévision ne capte pas la chaîne
que regardait Patrick à l'hôpital. Elle n'est peut-
être diffusée que dans les hôpitaux, en vue de
préparer les malades aux souffrances qui les attendent. Malgré les semaines qui se sont écoulées,
mon séjour à Aix reste parfaitement gravé dans ma
mémoire. Toutes les chambres où je dormirai
désormais me feront penser à l'hôpital. Quand ce
livre sera publié, j'irai volontiers le présenter aux
infirmières.

— Vous voyez, leur dirai-je, je parle de vous !

Je les accueillerai assis sur le lit qui m'avait été
attribué à l'époque. Elles seront une vingtaine.
Soraya aura déjà acheté un exemplaire de mon
roman et me le fera signer. Le lit de Patrick sera
vide : j'éviterai de poser des questions à son sujet
de peur d'apprendre de mauvaises nouvelles. Le
chirurgien passera en coup de vent au début de
ma causerie et s'excusera de ne pas pouvoir y
assister.

— J'ai une opération à faire, me dira-t-il. Est-ce que je peux vous prendre une ou deux infirmières ?

Je ne lui demanderai pas de me révéler le nom de son patient : il me le dévoilera au dernier moment.

En attendant de trouver le sommeil, je passe en revue les femmes que j'ai connues. Elles habitent un lieu obscur et se déplacent sans bruit. Il est d'autant plus difficile de les repérer qu'elles sont devenues petites comme des poupées. Il y en a peut-être sous le lit. C'est sûrement l'une d'elles qui a bousculé mes béquilles posées contre le mur : elles sont tombées par terre en faisant un vacarme épouvantable. Les marionnettes d'Odile ont probablement eu autrefois une taille humaine. Elles habitaient de vrais appartements et possédaient de vraies montres. Il faut accepter l'idée que les personnes rétrécissent chaque jour un peu plus. Le jardin du Luxembourg ne paraît grand que parce que les hommes sont tout petits.

Je vois assez bien la dernière femme que j'ai aimée. Je me souviens de certains détails de son corps. J'essaie de les assembler de façon à lui donner vie.

— Tu ne veux pas mettre ton peignoir ? suggéré-je.

Il s'agit d'un peignoir blanc qui porte la marque d'un autre hôtel, mais elle est déjà habillée.

— Tu sors ?

Je l'embrasse sur le bras. Elle avait les épaules

carrées et des bras athlétiques. Elle ne pratiquait pourtant aucun sport. Elle riait facilement.

— Mais oui ! dit-elle.

J'entends des pas dans le couloir qui s'arrêtent devant ma porte. C'est probablement la dame martiniquaise qui m'apporte le petit déjeuner.

Je n'ai pas connu de femme du nom d'Alice. C'est le nom de la fille d'un ami que je ne vois plus souvent et de la consule de France à Rhodes. Je me suis lié en revanche à deux Grecques qui s'appelaient Katérina comme la fiancée de Georges Azur : l'une habitait au bord de la mer, l'autre était correctrice dans l'édition.

Elles avaient toutes deux du tempérament, il me semble. Elles étaient déterminées.

— On pourrait aller à la piscine, proposaient-elles.

— Maintenant ? m'étonnais-je.

J'ai toujours eu besoin de plus de temps qu'elles pour prendre une décision. Elles parlaient peu – c'est la raison pour laquelle je ne perçois pas leurs voix – et trouvaient que je posais trop de questions. Leur histoire comportait des aspects qu'elles ne souhaitaient pas tirer au clair. Elles savaient garder leurs secrets. Nous n'abordions pas de grandes questions philosophiques ensemble. Nous échangions des nouvelles de nos enfants. Nous étions essentiellement absorbés par nos sentiments respectifs. Nous faisions des projets sans grande conviction car elles étaient mariées. Elles regardaient anxieusement l'heure : il était déjà quatre heures de l'après-midi.

134

Quand elles m'en voulaient, elles devenaient complètement muettes. Elles ne répondaient pas au téléphone. Elles m'imposaient un silence de mort. Parfois elles réagissaient en froissant vivement des bouteilles en plastique vides, ou bien en mettant la télé au diapason : elles chargeaient les autres de crier pour elles. Elles aimaient s'isoler pour lire, ou pour écrire à des cousines de province. Elles fumaient.

N. était habitée par une colère que rien ne pouvait calmer. Elle était peu prolixe, elle aussi, cependant elle m'avait avoué qu'elle détestait sa mère. Elle appréhendait longtemps à l'avance l'unique coup de téléphone qu'elle lui passait dans l'année, à Noël.

— Elle va encore m'énerver, me disait-elle dès le mois de septembre.

Elle avait plusieurs petits instruments de torture dans son sac. Je l'ai quelquefois autorisée à les utiliser à mes dépens : elle prenait tant de plaisir à me martyriser que j'oubliais de souffrir. Il ne me paraissait pas bien raisonnable néanmoins de payer pour les mauvais traitements qu'elle avait subis autrefois. Elle n'aimait que sa fille, je pense. Elle était très fière de sa beauté, elle me disait que tout le monde sur la plage n'avait d'yeux que pour les fesses de la petite. Comme nous nous voyions très rarement, notre relation a duré des années. Toutes les liaisons sont sans lendemain, mais il faut parfois du temps pour s'en rendre compte.

Je ne me plains pas : elles étaient plutôt douces

dans l'ensemble, avaient des doigts de fées. Elles n'étaient pas toujours très jeunes, elles avaient gardé cependant le goût du jeu. Une Anglaise qui travaillait au service des publications de l'Unesco se plaisait à disparaître entièrement sous la couette.

— Devine où je suis ! me disait-elle d'une petite voix qui paraissait venir de loin.

— Aux îles Marquises, répondais-je.

— Je suis beaucoup plus près ! s'exclamait-elle en dégageant sa jolie tête.

Elles avaient l'air de se souvenir que j'avais été un enfant.

— Arrache cette flèche de mon dos, les suppliais-je.

— Mais tu vas avoir horriblement mal !

— La douleur ne me fait pas peur ! déclarais-je avec la présomption d'un Mohican.

Je les ai toutes aidées à sortir, à un moment ou un autre, d'un puits sans fond au moyen d'une corde à nœuds, mais j'ai chaque fois tenu à recevoir ma récompense.

J'étais fébrile en attendant qu'elles frappent à ma porte. Je me souviens mieux de mon impatience que de leur arrivée. Certaines étaient charmées par mon studio et ont vite envisagé de s'y installer. D'autres l'ont tout de suite rejeté, plus par orgueil que par claustrophobie : l'idée qu'elles se faisaient d'elles-mêmes était incompatible avec une chambre de bonne. Elles n'habitaient pourtant pas dans des palaces. Je pense à deux femmes en particulier, qui venaient toutes les deux de loin : l'une de Samothrace, l'autre du Pérou. Dans mon esprit un mystérieux rapport s'est établi entre l'île grecque et ce pays.

Depuis mon divorce je n'ai jamais accepté qu'on s'installe chez moi. Je ne me suis pas séparé de ma femme pour vivre avec une autre personne mais pour me réapproprier mon histoire. Moi qui quémandais avec tant de ferveur les visites, je ne supportais pas qu'elles durent.

— Je ne peux pas travailler si je ne suis pas seul, m'excusais-je. L'écriture est une solitude.

Même les passions les plus vives n'ont pas réussi à me convaincre de remettre en question mon mode de vie. Je crois que je n'ai jamais eu qu'une seule passion. Heureusement, elles aimaient la littérature, ce qui les rendait indulgentes à mon égard. Je leur racontais des histoires le soir : c'était une façon de solliciter d'elles l'affection que j'avais eue pour ma mère.

Les séances de signature en librairie auxquelles je participais à mes débuts attiraient surtout des étudiantes. Vingt ans plus tard, elles étaient fréquentées majoritairement par des enseignantes. Aujourd'hui elles rassemblent essentiellement des dames aux cheveux blancs. Mon public a atteint l'âge de la retraite : c'est normal, cela fait quarante ans que j'écris. Il arrive encore cependant qu'une très jeune femme me demande une dédicace.

— C'est pour ma grand-mère, précise-t-elle. Elle vous aime beaucoup.

Le capital de sympathie dont jouit la Grèce en

France, et qui remonte à la guerre de l'indépendance de 1821 évoquée par Delacroix dans *Les Massacres de Chios* et par Hugo dans *L'Enfant grec*, a favorisé peut-être mes entreprises. La France a cru à cette époque que les Grecs de l'Antiquité étaient de retour. Sur la coupole de la bibliothèque du Sénat, Delacroix a peint plusieurs de ces glorieux ancêtres, Homère, Platon et Aristote notamment, ce dernier étant coiffé d'un curieux bonnet rouge semblable à celui des palikares de l'insurrection nationale. La France dispose d'un capital équivalent en Grèce, qui date de l'époque des Lumières et de la Révolution et qui m'a probablement été bénéfique aussi. Le fait est que je me suis lié à plusieurs professeurs de grec en France et de français en Grèce.

Porthos, qui est un grand prétentieux, juge sa prestance irrésistible :

— Avec un physique comme celui dont la nature m'a doté, je ne manque pas de bonnes fortunes, proclame-t-il.

La nature ayant été moins clémente à mon égard, je ne sais pas toujours à quoi attribuer les miennes. Car j'ai connu aussi quelques femmes qui ne travaillaient pas dans l'éducation ni dans l'édition, qui n'étaient pas amoureuses de la littérature ni de la Grèce, qui ne rêvaient pas de visiter Paris un jour. Je pense à une anesthésiste de l'hôpital Evanghélismos à Athènes, à la caissière d'une station-service près de la frontière belge, à une petite main de chez Dior, à une linotypiste de *La Croix* du temps où la composition du journal se faisait à la linotype, à une danseuse orientale installée à Montréal, à plusieurs Africaines avec lesquelles j'avais du mal à communiquer et qui ne savaient même pas où se trouve la Grèce. Je pense que ces succès ont été le fruit de ma persévérance, ou bien du hasard qui m'a placé au bon endroit au bon moment. Je les entends encore dire :

— Tiens, tu es là, toi ?

Il n'y avait personne d'autre, elles n'avaient donc pas le choix.

Je me souviens d'une femme qui buvait beaucoup et qui m'a appelé au cours de la nuit d'un nom qui n'était pas le mien. Je revois aussi une Grecque en train de dégrafer son corsage dans un ascenseur. Elle porte une robe à crinoline, nous sommes invités à un bal masqué. Au milieu de la fête, elle s'en va avec un chevalier errant. Je suis pour ma part déguisé en mamelouk. En rentrant à la maison, je jette par dépit mon turban dans une poubelle.

J'ai été jaloux très tôt, j'ai découvert la jalousie à douze ans en même temps que l'amour : l'idée que la gamine sur qui j'avais jeté mon dévolu pouvait rencontrer d'autres garçons m'était odieuse. J'aurais souhaité que ses parents la placent en internat dans une école de filles. J'étais en mesure de comprendre Jean Valjean qui déménage rien que pour faire perdre à Marius la trace de Cosette. Il est des femmes dont j'ai tout oublié, sauf que j'ai été jaloux d'elles.

— Où étais-tu ? ai-je questionné quelquefois d'une voix étranglée.

Comme je désavouais ce sentiment, que je trouvais nocif, stupide même, j'étais doublement malheureux, à la fois parce que j'étais jaloux et parce que je ne pouvais m'empêcher de l'être. Les soupçons que je concevais ressemblaient à ces péplums américains où l'on ne voit qu'une seule femme entourée de milliers de légionnaires romains.

C'est dire que mes relations ne m'ont pas procuré que du plaisir. À vingt ans j'ai vécu une rupture si désastreuse que je me suis promis de ne plus aimer. Quand mes enfants ont atteint cet âge, j'ai eu très peur qu'ils connaissent la même déception. Ils l'ont d'ailleurs connue. Une fois j'ai songé à me suicider. J'ai pris la voiture – j'ai eu une voiture pendant une courte période de ma vie – et me suis engagé sur le périphérique. C'était une fin de journée, il y avait énormément de véhicules, surtout des camions. Mon plan était de me faire écraser par un camion, en freinant brusquement devant lui. Je caressais cette idée sans être sûr de pouvoir la mettre en œuvre, je la soupesais, la tournais dans tous les sens pendant que je roulais. J'avais néanmoins l'impression de regarder la mort en face et j'étais assez étonné et fier en même temps de mon audace. Le trafic a ralenti : j'ai pu voir ainsi un clochard qui déféquait sur la bande d'arrêt d'urgence, devant le parapet de tôle. Il était tourné vers la chaussée, il chiait en contemplant les voitures. J'ai eu le temps d'apercevoir ses excréments, qui formaient un gros tas, ce qui m'a paru bien étrange car j'étais convaincu que les clochards ne mangeaient pas à leur faim. J'ai même vu la vapeur qu'ils dégageaient et qui était bien visible dans le froid. C'est cette vapeur qui m'a fait prendre conscience du caractère théâtral de mon initiative, qui m'a révélé son aspect dérisoire. J'ai quitté le périphérique à la première sortie et je suis rentré sagement chez moi. Je n'avais pas encore acheté mon studio, j'habitais un deux-pièces prêté par un ami qui travaillait à la conservation des gravures anciennes de la Bibliothèque nationale.

La plupart des séparations que j'ai vécues n'ont toutefois entraîné aucun drame. Il me semble qu'elles ont souvent eu lieu dans des endroits extrêmement bruyants, dans des gares, dans le métro ou à proximité d'un chantier de construction. Nous nous sommes quittés en prononçant des mots inaudibles.

Est-ce la pénombre ou mon manque de concentration qui m'interdit de distinguer clairement le visage de mes amies ? Leurs traits se sont estompés : elles sont devenues des personnages de fiction. Ont-elles réellement existé ?

— Nous avons existé, nous avons existé ! disent-elles en riant.

— Pourquoi alors n'êtes-vous pas là ?

— Nous sommes là ! protestent-elles.

Il est deux heures vingt du matin. Je m'endors mais pas pour longtemps. En essayant d'enfiler ma parka je découvre qu'elle n'a plus qu'une seule manche. J'allume toutes les lumières pour m'en assurer : oui, la manche droite a bel et bien disparu, l'emmanchure a été cousue. Je me rappelle une jeune Noire qui avait raccourci la jambe de mon pantalon lorsque j'avais été amputé d'une jambe. « C'est sûrement elle qui m'a joué ce tour. » Comme je ne peux ni mettre ma parka ni la suspendre à un cintre, je la laisse tomber par terre, où sont mes béquilles. Mais il n'y a qu'une béquille. Je me penche péniblement pour regarder sous le lit : l'autre béquille n'y est pas. Je me contente de récupérer mon crayon.

Je me réveille dans un grand magasin, à l'étage réservé à la literie. Il y a toutes sortes de lits, des lits pliants comme ceux que mon père prit aux Allemands, des lits superposés, des canapés-lits, des lits bateaux, des lits d'enfant, des lits à deux, trois, quatre, voire six places, des lits de cuivre, des lits à baldaquin, j'aperçois même un lit avec des piliers d'argent comme celui de Marie de Médicis. Je ne vois personne dans cet immense espace, hormis une petite vendeuse occupée à tapoter un gros oreiller. « Ma vie affective ressemble à un dortoir absolument désert », pensé-je en m'étendant sur un lit à la duchesse entouré de rideaux. J'appelle la vendeuse, qui se trouve au fond de l'étage :

— Venez vous asseoir ici, dis-je.

— J'arrive !

Au fur et à mesure qu'elle s'approche, elle prend de l'âge. Elle me rappelle le buste de la comtesse de Ségur qui donne de loin l'illusion de la jeunesse mais qui représente en fait une femme âgée. Quand elle arrive près du lit, la vendeuse est vieille, en effet. Elle se couche à côté de moi.

— Vous voulez que je tire les rideaux ? dit-elle.

Il est quatre heures. La lectrice ouvre le roman de Jules Verne *Un capitaine de quinze ans*. Je le connais assez bien, ce livre, pour l'avoir lu deux fois, la première au bord de la mer, à Santorin, il y a longtemps, la seconde au début de mes années parisiennes. J'avais participé alors à l'écriture d'un film documentaire consacré au romancier. À cette occasion j'avais relu bon nombre de ses textes, et des études sur son œuvre et sur sa vie. J'ai su ainsi qu'il avait habité Amiens, qu'il avait une femme versée dans les mondanités, qu'il donnait parfois chez lui des bals travestis inspirés de son œuvre, qu'il avait un peu voyagé, que son neveu l'avait rendu infirme en lui tirant deux balles dans le pied, que cet attentat avait assombri définitivement son humeur. J'aimais beaucoup Jules Verne autrefois, malgré son côté professoral. Comment aurais-je pu ne pas l'aimer, étant donné son amour de la mer que tout jeune Grec apprend à considérer comme sa seconde patrie ? Comment aurais-je pu ne pas être sensible à l'hommage qu'il a rendu lui aussi à l'insurrection grecque dans *L'Archipel en feu*, roman dont le cadre est précisément cette mer qui fut l'horizon de mon enfance ?

J'étais en même temps déconcerté par ses personnages car ils ne songeaient jamais à déshabiller une femme, ce dont je rêvais tout le temps. Chaque fois que l'écrivain mettait en présence deux personnes de sexe opposé j'espérais, comme on dit, qu'il allait se passer quelque chose. Eh bien

143

non : il se passe énormément de choses dans les romans de Jules Verne, mais jamais cela. Je me sentais nettement plus proche des mousquetaires car ils éprouvaient des désirs semblables aux miens. L'amour que d'Artagnan porte à Mme Bonacieux ne lui interdit pas de s'introduire dans le lit de Milady. Selon Aramis, les études de théologie ne sont nullement incompatibles avec le libertinage : il succombe aux tentations en gardant les yeux fixés au ciel. Je me jugeais en somme moins sévèrement quand je lisais Dumas que Verne. Les héros de ce dernier sont capables de s'exalter devant une baleine, un rhinocéros, voire un termite, mais devant une femme ils restent de marbre. Il y a en fait peu de dames dans son œuvre et elles occupent généralement des emplois subalternes. Son univers n'est pas bien différent du collège que j'ai pratiqué, où tous les professeurs étaient des hommes, tous les élèves des garçons, et où les seules femmes admises étaient chargées du ménage. Peut-être n'aimait-il pas les femmes ? Ses biographes se sont posé la question, de même qu'ils se sont interrogés sur la nature des relations de l'écrivain avec son neveu.

Dick Sand, le capitaine de quinze ans, qui prend le commandement du brick-goélette *Pilgrim*, n'envisage donc jamais d'effleurer le bras de Mrs Weldon, trente ans, qui est du voyage. Verne tient cette femme si bien à distance qu'il néglige même de lui attribuer un prénom. J'ai éteint le poste au moment où le *Pilgrim* heurte la côte ouest de l'Afrique équatoriale, à peu près à l'endroit où, une trentaine d'années plus tard, lord Greystoke et lady Alice échoueront et trouveront la mort après avoir donné naissance à Tarzan.

À quel âge ai-je cessé de me sentir coupable de mes désirs ? À dire vrai, je ne suis pas sûr de m'être complètement affranchi de mes remords. Disons que je parviens à les conjurer plus facilement qu'à quinze ans. Il m'a fallu tout ce temps – cinquante ans – pour m'accepter.

Puis-je compter au nombre de mes amies les prostituées qui ont contribué à mon éducation ? Je n'ai été marqué que par une seule. Elle habitait le quartier de Kypséli, ce qui veut dire « ruche », dans un petit appartement en sous-sol. Alors que la plupart de ses consœurs exerçaient dans des lieux loués à cette fin, elle, par mesure d'économie, travaillait chez elle. Je la préférais aux autres non parce qu'elle était plus belle, mais parce qu'elle l'était moins. Ayant peu de clients, elle donnait plus de temps à chacun. Parfois je la trouvais seule, comme si j'étais son unique amant. Je lui pardonnais volontiers sa constitution chétive, car en plus de sa relative disponibilité elle était très gentille. Elle avait un visage assez quelconque, des cheveux blonds coupés court, une poitrine, hélas, bien plate. Elle ne ressemblait guère aux femmes que j'admirais, mais j'avais décidé une fois pour toutes que je n'aurais jamais droit à elles qu'en rêve. Dans la vraie vie elles m'intimidaient affreusement : je n'osais même pas les regarder dans les yeux de peur qu'elles me regardent aussi et qu'elles se moquent de moi.

Mes oreilles m'obligeaient à garder les yeux baissés. Il est particulièrement éprouvant de se savoir laid dans un pays comme la Grèce, peuplé de tant de statues d'hommes superbes. La fille de Kypséli ne me considérait pas comme un phénomène, ne me faisait pas perdre mes moyens. J'étais néanmoins tout ému quand je descendais les marches conduisant à sa porte, ce qui, vers dix-sept ans, m'arrivait une fois par mois. Son appartement sentait la cuisine. Elle me fit goûter une fois au plat qu'elle avait préparé : c'était un ragoût de mouton.

Y a-t-il des endroits qui se prêtent davantage que d'autres à l'éclosion des passions ? Il me semble que les bords de mer encouragent les initiatives : quand on débarque sur une île, on a déjà un pied dans l'aventure. L'air marin balaie les convenances, donne des ailes à l'imagination. J'ai connu quelques moments heureux sur des îles : la mer nous indiquait le chemin le plus court vers l'infini. Pourrai-je retourner dans les Cyclades un jour ? J'aimerais accoster sur une île la nuit, voir de loin les lumières de son port et leur reflet sur la mer. Le bateau que je prenais avec mes parents pour aller à Santorin faisait toujours escale dans un port la nuit. Non, je ne peux pas me plaindre puisque j'ai eu la chance de voir ces lumières et le scintillement des étoiles au-dessus du jardin de Callithéa.

Il va bientôt faire jour. Je distingue dans le ciel, qui est encore sombre, comme une attente. Je repense à l'homme qui traînait derrière lui ses

petites voitures. « Moi je promène mes fantômes. » Cela fait un moment que les femmes de ma
vie ont déserté ma chambre.

— Pourquoi êtes-vous parties ? murmuré-je.

Même celles avec qui je n'ai pas toujours eu les
meilleurs rapports me manquent à présent. Je
ressens soudain une vive douleur, comme à Aix,
après ma conférence. Sur quoi portait-elle, au
juste ? Sur la littérature, probablement.

— Pourquoi êtes-vous parties ? répété-je.

Je ne reçois aucune réponse.

6

Sur l'établi où Georgette travaille le bois il y a
plusieurs têtes rondes, grosses comme des pommes, qui possèdent un cou mais dont le visage est
vierge. L'une d'elles, prise dans un étau, porte
quelques traits au crayon qui indiquent l'emplacement des yeux et des oreilles. Il est impossible
de deviner si ce sera un homme ou une femme,
une jeune ou une vieille personne. Peut-être
Georgette elle-même ne le sait-elle pas encore.
« Elle lui donnera la physionomie de la reine
d'Angleterre », pensé-je en découvrant un portrait
de la souveraine accroché au mur. Elisabeth II est
en tenue officielle, coiffée de la couronne, telle
qu'elle figure sur tous les timbres du Com-
monwealth. Je trouve qu'elle ressemble aux héroïnes de Jules Verne qui savent parfaitement
tenir leur rang. Je vois divers outils sur l'établi, une
gouge, une scie, une lime, une râpe, un vilebre-
quin qui sert sans doute à évider les têtes des
figurines de façon qu'elles puissent recevoir l'index du marionnettiste. Le mur juste derrière est

masqué par un grand tableau noir où sont inscrits à la craie ces mots : RÉPARER GUIGNOL ET LE LION. Je m'occupe comme je peux en attendant que Georgette prépare le café.

Odile n'a nullement exagéré en qualifiant l'atelier de sa sœur de capharnaum. Par quoi faut-il entreprendre sa description ? Par les innombrables caisses en carton disposées par terre et qui sont pleines de tissus, de dentelles et de chutes de fourrures ? Par la pyramide de pots de peinture qui se dresse entre les deux machines à coudre ? Par les boîtes qui occupent les rayonnages d'un meuble de rangement métallique et qui regorgent de pierreries, de tresses de cheveux, de plumes, d'yeux de verre, de boutons ? Par le rideau de velours rouge tendre suspendu sur une corde qui traverse la pièce de part en part en la coupant pratiquement en deux ? Jean-Claude, l'aide-soignant de l'hôpital d'Aix qui organise des expositions de linge sur la nationale 7, aurait été ravi par cette pièce. Des vêtements d'un autre temps occupent les cintres d'une armoire sans porte, dont le bas accueille une belle collection de godasses pourries. Faut-il commencer par les appareils électriques et le poste de radio éventré jetés en vrac dans un coffre de marin ? Par les cerfs-volants posés sur le dernier rayon de la bibliothèque ? C'est dur de cheminer au milieu de tout ça quand on n'a pas la maîtrise de ses jambes. Pour accéder au canapé je dois soulever le rideau, contourner une double échelle en bois, repousser une table à repasser, éviter une encyclopédie du costume en six volumes ainsi qu'un imposant rouleau de fil de chanvre.

Trois poupées m'attendent sur le canapé, sommairement enveloppées dans une grossière toile grise fixée à leur cou par des clous de tapissier. Elles possèdent de jolies petites mains attachées aux manches de leur vêtement. Leur visage est parfaitement formé et peint. La plus proche de moi est coiffée en chignon, comme Odile. Celle du milieu pourrait bien ressembler à Georgette, elle a son nez busqué mais pas ses cheveux gris. La troisième est une brune aux lèvres pulpeuses, légèrement entrouvertes, qui me remet en mémoire la femme de bronze assise sur un banc devant l'Institut hongrois. Elle a la tête tournée sur le côté, à cause d'une longue tige de bois vissée à l'arrière de son crâne et dont le bout repose sur le bras du canapé. J'imagine que Georgette confectionnera pour la première poupée une robe bleue, pour la deuxième une blanche et pour la troisième une rouge, qu'elle taillera leur costume de scène dans le drapeau qui flotte sur le Sénat. Je me rends compte soudain que je décris rarement les vêtements de mes personnages. Si j'ai signalé l'accoutrement insolite du clochard de la rue de Fleurus, je n'ai rien dit de l'imperméable vert-de-gris que portait Charles lors de notre dernière rencontre, ni de la veste beige du gérant de l'hôtel, ni même de la cravate à grosses fleurs blanches sur fond ocre qu'arborait M. Jean lorsqu'il m'a fait visiter le palais. Je ne me sens pas tenu d'habiller mes personnages comme le fait Georgette pour ses poupées. Je préfère laisser au lecteur le soin de leur attribuer une tenue s'il juge nécessaire de se donner cette peine. « Une nuit Elvire étranglera M. Jean avec sa cravate et jettera son corps dans les égouts. Ensuite elle transformera l'appartement en maison de passe. Elle embauchera Marie-Paule comme femme de chambre et chargera Ricardo de jouer du violon pour l'agrément des clients. Marius tiendra la caisse de l'établissement. »

— Je vous ai fait attendre ? dit Georgette.

Elle parle lentement, d'une voix douce, plutôt grave. Cette femme qui sait si bien s'occuper de ses figurines ne prend visiblement aucun soin d'elle-même. Elle ne se teint pas les cheveux, ne se maquille pas. Elle tient à faire son âge et même davantage. Aurait-elle hâte de vieillir ? Elle est si maigre que sa robe paraît aussi vide que la gaine des trois marionnettes. Elle s'assoit en face de moi, de l'autre côté de la table basse, sur les volumes de l'encyclopédie du costume, et sert le café.

— Il paraît que l'hiver va arriver, dit-elle. Cela risque de gâcher la fête qui doit avoir lieu dans le jardin à la fin de novembre. Vous serez encore à l'hôtel ? Je peux vous avoir une invitation, je suis dans les meilleurs termes avec les sénateurs. Je leur ai demandé d'associer à cet événement notre théâtre car l'ancêtre de Guignol, Polichinelle, Pulcinella de son vrai nom car il est italien, est arrivé à Paris en même temps que Marie de Médicis. J'ai trouvé des documents qui attestent sa présence sur le pont Neuf au début du XVIIe siècle. Marie l'a probablement entendu chanter : « *Je suis Polichinelle / qui fait la sentinelle / à la porte de Nesle* », c'est-à-dire à l'extrémité du pont. Guignol, qui est né deux siècles plus tard, a hérité de plusieurs traits de caractère de Polichinelle, notamment de sa grande insolence, mais il est tout de même moins mal élevé : il ne pète pas en public comme l'Italien. De tous les fils spirituels que Pulcinella a engendrés en Europe, le moins fréquentable est certainement l'Anglais Punch, personnage féroce, capable de tout, comme de jeter son bébé par la fenêtre sous prétexte qu'il pleure ou de tuer sa femme.

« J'aurais dû immigrer en Angleterre plutôt qu'en France, pensé-je. Habitué aux facéties de Punch, le public anglais aurait davantage apprécié mon *Sandwich* que ne l'a fait le public français. Mon roman serait actuellement dans toutes les librairies de Londres en édition de poche. »

— Ma mère qui était anglaise préférait Punch à Guignol, qu'elle jugeait un peu falot. Mon père, en revanche, désapprouvait les outrances du premier : « Il n'est pas nécessaire de tuer toute sa famille pour se rendre intéressant », affirmait-il. Il admirait le comique mesuré de Buster Keaton. Il aurait fait un excellent comédien, s'il en avait eu l'opportunité. Mais dans la vie on ne fait pas toujours ce qu'on veut.

Elle dit cela avec une pointe d'amertume : elle n'est peut-être pas aussi heureuse que le prétend sa sœur. Puis elle tourne les yeux vers le portrait de la reine.

— Vous vous souvenez d'un chapeau en forme de bonnet de douche piqué de fleurs roses qu'avait porté Elisabeth lors d'un voyage officiel en Afrique ? C'est ma mère qui l'avait dessiné. Elle travaillait alors pour le chapelier de la cour royale. Elle n'a rencontré Elisabeth qu'une seule fois, pour prendre ses mesures, mais elle en a gardé un souvenir impérissable et n'a jamais oublié naturellement que le pourtour de sa tête était de vingt-deux pouces huit. Ma mère connaissait à l'époque toute la noblesse britannique. Elle aurait pu épouser un duc, un lord, un haut fonctionnaire. Elle était très belle.

— Pourquoi a-t-elle quitté l'Angleterre ?

Elle sort un paquet de cigarettes de sa poche, me demande l'autorisation d'en allumer une. Elle fume des Chesterfield, qui sont des cigarettes à moitié turques comme l'indique le logo de la marque qui représente une vue d'Istanbul. Ma mère était née à Istanbul. J'allume aussi ma pipe.

— Nous devrions nous soutenir entre fumeurs, nous organiser, mettre sur pied un lobby, sinon nous finirons par nous faire expulser des villes, nous serons conduits dans des camps au centre de la France où il fait en plus horriblement froid. J'ai réussi à convaincre Odile qu'il était anormal qu'aucun personnage de notre théâtre ne fume. Il n'est pas difficile de faire fumer une marionnette : il suffit de la doter d'un tuyau creux et de ménager une petite ouverture dans sa bouche.

Elle s'empare de la belle brune et porte à ses lèvres le tuyau qui aboutit à la tête de la figurine.

Aussitôt je vois surgir de la bouche de celle-ci un nuage de fumée.

— Si les sénateurs me rappellent qu'il est interdit de fumer dans les lieux publics même pour une marionnette, je leur dirai qu'elle ne fume pas du vrai tabac mais des feuilles d'orchidées séchées, car ils adorent les orchidées ces messieurs. Avez-vous visité les serres du jardin ? On y étouffe au bout d'un moment. J'ai l'impression que les orchidées gardent tout l'oxygène pour elles.

Je commence à la trouver bien agréable, cette femme qui ne cherche nullement à plaire, et à comprendre du même coup la ferveur dont elle est l'objet de la part de Ricardo. « Je confierai à Georgette le rôle de témoin lors de mon mariage avec la femme de bronze de l'Institut hongrois, décidé-je. Le gérant de l'hôtel portera la traîne de la mariée. Mes enfants seront présents ainsi que tous mes amis d'enfance. On aura attaché le bec du perroquet de Long John Silver pour l'empêcher de proférer des insanités. Mes parents et mon frère se tiendront dans l'ombre au fond de l'église, parfaitement immobiles comme des statues. À la fin de la messe Dieu descendra de la voûte avec une corde à nœuds – car cela se passera dans une église byzantine, bien sûr. »

— Alice, ma mère, a subi le sort que tous les romanciers réservent aux jeunes femmes pauvres en contact avec des gens puissants et riches. Pour échapper au déshonneur, elle a choisi de disparaître et s'est réfugiée en France chez une amie.

Dès qu'il a fait sa connaissance, papa lui a proposé de l'épouser, en posant toutefois comme condition qu'elle se débarrasserait de l'enfant qu'elle portait en elle. C'était une fille, paraît-il.

Si Alice n'avait pas avorté, j'aurais aussi bien pu intituler mon roman *Les Trois Sœurs*.

— Pourquoi dit-on d'une femme enceinte qu'elle a un polichinelle dans le tiroir ?

— L'expression fait peut-être allusion à l'agitation des bébés, qui commence avant leur naissance et qui n'est pas sans rappeler la gesticulation des marionnettes. Il faut dire aussi que Polichinelle, en dépit de sa laideur, est un grand séducteur. Nous n'avons jamais su qui avait rendu notre mère enceinte. Elle a refusé de nous le dire jusqu'à la fin, elle prétendait qu'elle ne s'en souvenait plus. Quand j'étais petite, je rêvais parfois de cette sœur aînée qui n'a jamais vécu. Persuadée qu'elle ne connaissait que l'anglais, je m'efforçais de l'interroger dans sa langue : « *How are you?* » lui demandais-je. « *I'm very well, little sister* », répondait-elle invariablement. J'étais incapable de pousser mon interrogatoire plus loin car sa réponse me faisait fondre en larmes.

Elle se sert de la dernière bouffée de sa cigarette pour tester à nouveau le tuyau creux. La poupée paraît si vivante quand elle fume que je ne serais qu'à moitié étonné si elle se mettait à tousser comme je tousse. Georgette l'observe avec attendrissement.

— Vous avez lu *Don Quichotte* ?

C'est la deuxième fois qu'on me pose cette

question depuis que je vis en France. J'avais dit « oui » la première fois, ce qui était faux à l'époque. J'avais été questionné dans les locaux du *Monde des livres* auquel je collaborais : mais je ne peux pas revenir sur cette scène, l'ayant déjà évoquée dans un autre de mes ouvrages.

— Vous vous souvenez peut-être que Cervantès décrit un spectacle de marionnettes interrompu par Don Quichotte qui tient à soustraire l'héroïne, la belle Mélisande, la fille de Charlemagne, aux méchants Maures qui la persécutent. Le Chevalier à la Triste Figure croit dur comme fer que les figurines existent réellement, qu'elles peuvent donc mourir. Je ne peux pas dire que je partage entièrement sa conviction, vous me prendriez pour une folle, le fait est que si je ne la partageais pas un peu je ne pourrais pas faire ce métier. Les poupées ont une âme, elle n'est sans doute pas comme la nôtre, elle est plus petite, voilà tout : elles ont une âme à leur taille. Vous croyez bien, vous, à l'existence des personnages dont vous racontez l'histoire ?

J'ai acquiescé.

— Mon père s'est fait enterrer avec Marie-Antoinette, la plus somptueuse poupée de notre collection. Elle portait un magnifique manteau en satin bleu brodé de fleurs rouges et avait un visage de jeune fille. Elle avait figuré dans un drame inspiré d'une pièce d'Alexandre Dumas. Je crois que les marionnettes sont plus douées pour jouer la comédie que le drame. Elles ont pourtant débuté de la façon la plus sérieuse qui soit, en se produisant dans les églises. Les points forts de leur répertoire étaient alors la Nativité et la tentation de saint Antoine. Leur nom porte la marque de cette activité édifiante : « marionnette » vient de Marion, qui est un diminutif de Marie. Elles se sont emparées par la suite de la chanson de geste, puis du roman populaire et de tout ce qui était en vogue au XIXe siècle au théâtre comme à l'opéra. Les marionnettistes ont toujours été à l'affût de ce qui se faisait ailleurs. S'ils ont mis si longtemps à concevoir leur propre répertoire, c'est parce qu'ils étaient issus de milieux très modestes et qu'ils ne savaient pas toujours écrire. Laurent Mourguet était quasiment illettré. Il exerçait le métier d'arracheur de dents : je suppose qu'il a inventé Guignol pour consoler ses patients des maux qu'il leur infligeait. Il faisait parler son personnage en patois lyonnais, langue qu'il connaissait bien mieux que le français. Lafleur, l'homologue amiénois de Guignol, s'exprime traditionnellement en picard. « Ichi on ne parle pas le français à outrance », prévient un marionnettiste lillois. Ce sont les cancres qui font rire la classe, n'est-ce pas ? Il n'est pas nécessaire d'être grand clerc pour se moquer des patrons, des propriétaires, des juges, des flics.

» Je suggérais à Odile que nous devrions, afin de renouer avec la tradition de Mourguet, organiser des séances gratuites pour les SDF, les clochards, les sans-papiers, où nous aborderions des thèmes d'actualité. Les marionnettes ont toujours su parler aux pauvres, et il y a de plus en plus de pauvres aujourd'hui. Mourguet modifiait ses spectacles selon l'humeur du moment, il jouait « à l'improvisade », comme on dit dans le métier. Est-ce que nous serions capables d'improviser aussi ? La question ne se pose pas car les sénateurs ne nous laisseraient pas faire. Leur emblème est un miroir ovale enlacé par un serpent : c'est le symbole de la prudence, paraît-il. Je ne connais pas de vertu plus médiocre.

Elle embrasse de son regard tout l'atelier.

— Qu'est-ce que nous allons faire Odile et moi si Guignol meurt ? Son air de jeune homme ne me trompe pas, je le sens bien fatigué, bien las. Il n'a pourtant que deux cents ans, ce qui n'est pas beaucoup pour un personnage populaire. Polichinelle a vécu bien plus longtemps. J'aimerais avoir des nouvelles de Punch : est-il toujours aussi turbulent ? Comment va votre Karaghiozis ?

— Je ne sais pas quel âge il a, avoué-je. Il est arrivé en Grèce *via* la Turquie, mais peut-être a-t-il des origines encore plus lointaines. Il a longtemps incarné un peuple miséreux sous domination étrangère. Il a épousé l'histoire grecque, de l'asservissement du pays par les Ottomans jusqu'à l'occupation allemande.

— Guignol aussi a eu maille à partir avec les Allemands pendant les deux guerres mondiales. Nous avons dans notre réserve des figurines de Hitler et de l'empereur Guillaume II. Lors de la libération de Paris, un marionnettiste a écrit en une nuit une pièce célébrant cet événement.

— Karaghiozis n'est pas un résistant, ni même

un militant. Il déploie des trésors d'ingéniosité juste pour s'assurer un plat de nourriture. Il ne se préoccupe guère de sa famille : il encourage simplement son fils à devenir voleur.

« Ils ont tous une femme, Karaghiozis, Guignol, Punch, sauf moi », pensé-je tout en poursuivant mon propos :

— Aujourd'hui seuls les enfants s'intéressent encore au théâtre d'ombres. Karaghiozis ne se porte pas mieux que Guignol, mais la crise économique actuelle lui donnera peut-être un souffle nouveau. Privés de travail, désargentés, presque affamés, les Grecs pourraient s'identifier à nouveau à ce vieux compagnon d'infortune, d'autant plus facilement qu'ils sont encore placés sous tutelle étrangère. La maison de Karaghiozis, faite de planches, est dans le même état de délabrement que la Grèce. Elle est située en face du palais du vizir, qui est assez grand pour accueillir les représentants de la Banque centrale européenne, de la Commission et du Fonds monétaire international.

— Je ne comprends pas pourquoi l'Orient, contrairement à l'Occident, préfère les ombres aux marionnettes. Vous pensez que cela peut avoir quelque rapport avec l'apparition du soleil ? C'est un fait que les ombres naissent le matin. Je poserai la question à Ricardo : il a des idées sur tout.

« Georgette et Ricardo se marieront dans une petite église du Lot-et-Garonne. Toutes les marionnettes assisteront à la cérémonie, assises par deux ou par trois sur les sièges, sauf la figurine blanche. Georgette sera vêtue d'une robe en satin bleu brodée de fleurs rouges. À la fin de la messe, le prêtre saisira un long bâton fendu à l'extrémité, le même qu'utilise Guignol, et donnera deux petites tapes amicales sur la tête des mariés, ce qui fera rire tout le monde. Odile remettra à Ricardo son violon en le priant de jouer un air de son pays. Il essaiera de se dérober, mais Georgette aura l'air si déçu qu'il cédera. Il jouera merveilleusement bien, comme autrefois, un air si gai que les figurines danseront dans l'allée centrale. "Vous avez vu ma mère ?" demandera Michel Strogoff à Robinson Crusoé, qui sera en train de se trémousser en compagnie de Vendredi. Le prêtre dansera avec Odile. »

— Je n'ai pas encore eu le temps de lire *Le Sandwich* que vous m'avez fait parvenir par Odile, mais je le lirai, je vous le promets. Est-ce qu'on pourrait en tirer une pièce pour notre théâtre ? Et le roman que vous écrivez en ce moment, est-ce qu'on pourra l'adapter ?

— Ce sera difficile, observé-je, car mon narrateur porte des béquilles, comme moi.

— On peut très bien faire porter des béquilles par une marionnette en fixant deux aimants dans les paumes de ses mains ! Nous manquons désespérément de textes nouveaux. Ce sont les auteurs qui font vivre le théâtre : eh bien, personne n'écrit pour les marionnettes. Vous ne voudriez pas essayer ? Sans doute préféreriez-vous écrire pour Karaghiozis, puisque vous êtes grec. Il y a bien eu dans le passé quelques grands auteurs qui se sont intéressés aux poupées, Goldoni qui a fait ses débuts en organisant des spectacles de marionnettes, et aussi Voltaire qui était convaincu que les figurines pouvaient servir utilement à la diffusion des idées.

— Je connais des scénaristes qui écrivent des dialogues sur mesure pour tel ou tel comédien. Ils pourraient aussi bien travailler pour Guignol et Gnafron.

Je préfère m'abstenir de lui commander une figurine pour éviter de lui donner de faux espoirs. Je lui demande cependant de me confirmer que Guignol ne souriait pas autrefois aussi franchement qu'aujourd'hui.

— C'est exact, dit-elle. Sa bouche était relevée d'un côté et rabaissée de l'autre. Cela permettait de rendre compte de ses sautes d'humeur. Au musée Gadagne de Lyon, qui est consacré aux marionnettes, il existe une figurine réalisée par Mourguet qui n'est ni joyeuse ni contrariée. Sa bouche est droite. Son visage exprime juste une certaine tension. Elle a l'air très attentive à ce qui se passe autour d'elle et sur le point de réagir. Comment réagira-t-elle ? Ce sera une surprise.

— Écrire pour Guignol ou pour Karaghiozis me priverait de ma liberté d'auteur, lui avoué-je.

— Vous allez néanmoins évoquer Guignol dans votre prochain roman ?

Elle m'interroge avec l'anxiété d'une mère qui cherche du boulot pour son fils.

— Je vais aussi parler de vous, probablement. Mais je ne donnerai pas votre nom.

— Tant mieux... Comment allez-vous m'appeler ?

— Georgette.

— Ça me va, dit-elle.

En regagnant l'hôtel je passe par une épicerie arabe qui vend aussi des journaux. Deux titres retiennent mon attention : LE SORT DE LA GRÈCE ENTRE LES MAINS DE L'ALLEMAGNE et ATHÈNES EN RÉGIME DE SOUVERAINETÉ LIMITÉE.

Georges Azur, le plus jeune et le plus célèbre résistant grec contre le régime nazi, est aujourd'hui un vieil homme. Il habite un modeste deux-pièces près de la place de la Constitution, qui est située en face du parlement. Depuis que sa maigre pension a été réduite de 20 pour cent, il n'allume plus le chauffage. Il songe que si la Grèce se trouvait au nord de l'Europe, il serait probablement mort de froid. Il ne se plaint pas car tous ses compatriotes ont subi des baisses de revenus analogues. Elles font partie d'un plan d'austérité imposé par l'Europe, qui s'est souvenue à cette occasion que le mot « draconien » est bien d'origine grecque. Elle paraît convaincue que la situation économique du pays ne s'améliorera que lorsque ses habitants n'auront plus d'argent du tout. C'est vrai qu'elle fournit des aides colossales – encore un mot grec –, mais celles-ci ne servent qu'au remboursement des dettes du pays, à lui épargner la faillite. Les coupes salariales sont censées accroître la compétitivité de la production locale : la Grèce, hélas, ne produit pas grand-chose. Qu'exportera-t-elle lorsqu'elle sera réduite à la misère, son chômage ?

Georges évite de sortir car le spectacle que lui offrent les rues d'Athènes le désole. Il y a encore peu, la plupart des malheureux qu'il croisait étaient des étrangers venus d'Albanie, d'Europe centrale, d'Afrique du Nord, d'Asie. Désormais ils parlent grec : il est impossible de faire semblant de ne pas les comprendre. « Nous sommes devenus des immigrés dans notre propre pays », pense-t-il. Il a entendu ce mot terrible au marché de son quartier, prononcé par un homme qui récupérait des oranges tombées par terre :

— La Grèce ne nous aime plus.

Lui qui a traversé toute l'Occupation sans jamais pleurer a failli avoir les larmes aux yeux. Il a eu la même réaction en voyant à la télévision une jeune femme debout sur la balustrade d'un balcon qui menaçait de se jeter dans le vide pour protester contre son licenciement. Ne pouvant supporter cette scène, Georges a éteint le poste. Il n'a pas su si la femme avait sauté. Il sait en revanche que les suicides ont augmenté en Grèce de 22 pour cent en 2010.

Ses aventures sous l'Occupation, auxquelles la belle Katérina et le gros Spithas ont toujours été associés, s'étalent sur sept cent quatre-vingt-dix-huit fascicules, publiés entre 1952 et 1967 sous le titre général *Le Jeune Héros* : Georges n'avait que treize ans quand il est entré dans la Résistance. Ils comptent vingt-cinq pages chacun, ce qui fait un total de vingt mille pages environ : il s'agit certainement de l'épopée la plus longue écrite en langue grecque depuis Homère. Elle n'est malheureusement pas l'œuvre d'un poète mais d'un journaliste, Stélios Anémodouras qui signait Thanos Astritis. Il a également écrit un feuilleton inspiré par le personnage de Superman.

Chaque fois que Georges Azur tourne les yeux vers l'étagère où sont alignés les fascicules, son humeur s'assombrit. Il a l'impression que tout cela n'a servi à rien, que le pays est revenu insidieusement au point où il était alors : son gouvernement est placé sous haute surveillance et sa population recommence à fouiller dans les poubelles comme le faisait Spithas. Curieux gouvernement que celui d'Athènes, formé de socialistes et de représentants de l'extrême droite, auquel ni l'Europe ni le peuple grec ne font confiance. De temps en temps il entend les cris des jeunes gens qui occupent en permanence la place de la Constitution. Comment pourraient-ils ne pas réagir, alors que les dettes accumulées par les dirigeants du pays au cours des trente dernières années pèsent déjà sur leurs épaules ? Les dégradations d'immeubles qu'ils ont pu commettre ne sont rien comparées au dommage qu'ils ont subi : on leur a volé leur avenir. Ils réclament plus de démocratie, un retour aux sources en quelque sorte.

Sur l'étagère, à côté des fascicules, il y a une icône de la Sainte Vierge et un pistolet automatique, le seul souvenir qu'il ait gardé de sa jeunesse mouvementée. Il se rappelle qu'il reste une balle dans le chargeur. Il se demande s'il aura l'occasion de l'utiliser un jour, et contre qui ? Il est bien difficile en temps de paix de reconnaître ses ennemis alors que plus personne ne porte d'uniforme. L'icône le dissuade de prolonger cette méditation. Georges a toujours été très pieux : il ne manquait jamais de se signer avant chaque opération de sabotage, comme le font les footballeurs sud-américains avant le match.

Il est dix heures moins cinq. Il a le cœur qui bat de plus en plus fort car bientôt il pourra serrer Katérina dans ses bras. Cela fait une éternité qu'il ne l'a pas revue. Elle aura sûrement vieilli, il sait qu'elle a des petits-enfants, mais qu'importe, il saura retrouver sur son visage les traits de la jeune fille d'autrefois. Elle a vécu toutes ces années en Allemagne, où elle a émigré dans les années 50 comme plusieurs centaines de milliers de Grecs. Georges ne comprend pas pourquoi ses compatriotes passent volontiers pour des paresseux en Allemagne, alors qu'ils ont contribué à sa prospérité actuelle. Katérina a travaillé comme ouvrière, a pu faire des études, a fini par épouser un professeur de grec ancien qui enseigne à l'université de Cologne. Spithas aussi doit venir. Ce garçon qui ne pensait qu'à manger, qu'on prenait pour un idiot, est devenu un entrepreneur de travaux publics très actif, disposant de solides relations dans le monde politique ainsi qu'au sein de l'Église sans la bénédiction de laquelle il n'est pas de réussite durable en Grèce. Georges ne lui téléphone plus souvent car il a du mal à comprendre son langage, il l'a néanmoins prévenu de la visite de Katérina.

Ils arrivent ensemble, Spithas chargé d'une énorme boîte de gâteaux. Il est trois fois plus gros que jadis. Katérina leur montre sur son téléphone portable des photos de ses petits-enfants. Georges n'a eu aucun mal à la reconnaître, cependant, au fur et à mesure que l'heure avance, son ancienne image tend à s'estomper : bientôt elle n'aura plus qu'un seul visage. Elle pose sur la table un exemplaire du quotidien *Bild* et leur traduit sa manchette : VIREZ ENFIN LES GRECS DE L'EURO.

— On nous reproche d'être entrés dans la zone euro par effraction, en présentant de fausses statistiques qui minimisaient nos déficits, dit-elle. Mon mari me rappelait que les anciens Grecs ont pris Troie par ruse, cachés dans le cheval de bois imaginé par Ulysse, et que Zeus a obtenu les faveurs de la jeune Europe déguisé en taureau blanc.

Georges est quelque peu agacé par cette intervention du mari de Katérina dans la conversation.

— Et toi, qu'est-ce que tu en penses ?

— J'ai du mal à croire que nous avons pu aussi facilement tromper les grands argentiers de l'Europe. Je suppose qu'ils nous ont accueillis pour des raisons politiques, en fermant les yeux sur nos déficits. Mon mari me disait en plaisantant que l'effondrement de notre économie est souhaité par tous les retraités de l'Europe du Nord, qui pourront ainsi acquérir pour une bouchée de pain des maisons dans les Cyclades afin de finir leurs jours en beauté. L'Europe rêve d'être enterrée en Grèce !

— Il faudra peut-être songer à construire de nouveaux cimetières, note Spithas qui a déjà mangé un de ses gâteaux. Je suis sûr qu'il n'y a pas assez de cimetières dans les Cyclades. En revanche, nous avons assez de popes pour enterrer tout le monde !

Voilà qu'il s'esclaffe : cela le rajeunit singulièrement. Son rire a gardé le souvenir de l'enfant qu'il était.

— Ni les Allemands ni d'ailleurs les Français ne comprennent qu'aucun gouvernement ne prend l'initiative de taxer l'Église, constate Katérina. Elle n'est imposée, d'après mes informations, que comme une association de bienfaisance, sous prétexte qu'elle distribue de temps en temps de la soupe de haricots aux pauvres. Mais cela ne coûte rien, un plat de haricots !

Georges ne voit plus à son cou la petite croix d'argent qu'elle portait toujours. Il remarque aussi qu'elle parle le grec avec une certaine rudesse, qui le rapproche de l'allemand.

— Vous ne voulez pas goûter à mes pâtisseries ? propose Spithas en attaquant un mille-feuille. Elles sont délicieuses ! Tu oublies, ma chère Katérina, que l'Église est associée à l'État, que les popes sont des fonctionnaires qui dépendent du ministère de l'Éducation nationale au même titre que les enseignants. Le catéchisme fait partie des cours obligatoires. Le parti communiste, qui recommande de prendre l'argent là où il est, fait l'impasse sur les richesses accumulées par les religieux. Sa bienveillance a d'ailleurs été récompensée puisqu'il a reçu des fonds du mont Athos pour la construction de sa Maison du peuple. Les hommes politiques tremblent devant l'Église. Même les colonels ont eu besoin de son assentiment pour asseoir leur pouvoir.

— Ce sont eux, rappelle Georges, qui ont interrompu la publication de nos aventures, craignant sans doute que notre révolte ne donne des idées à la jeunesse.

Ils regardent tous les trois la longue rangée des fascicules sur l'étagère. Puis Katérina inspecte des yeux la pièce.

— Tu arrives à t'en sortir ? demande-t-elle en posant la main sur le bras de Georges.

— Je donne parfois des conférences dans les écoles qui me permettent d'arrondir mes fins de mois.

Il est obligé de lui mentir car il la croit capable de lui glisser subrepticement un billet dans la poche.

— Tu vois, dit Spithas à l'adresse de Katérina, même Georges possède une icône de la Vierge. Il y en a une dans chaque maison, dans chaque ministère, dans toutes les banques, les gares et les stations-service dont certaines, il faut bien le dire, appartiennent à l'Église.

— Comment se fait-il que le pays se soit tant endetté ? interroge Katérina.

Sa main est restée sur le bras de Georges.

« J'aurais dû lui dire à l'époque que je l'aimais… Mais nous ne songions qu'à chasser les Allemands du pays… Finalement les Allemands ont emmené Katérina avec eux. »

— Notre adhésion à l'Europe, puis à l'euro, nous a fait croire que la Grèce avait changé, qu'elle n'avait plus de commun que le nom avec le pays malheureux de notre enfance, dit-il. Nous avons vécu un conte de fées. Dans les îles les pêcheurs ne péchaient plus : ils discutaient dans les cafés de leurs placements boursiers. Nous nous sommes rêvés propriétaires de palais et de carrosses dorés. Nous avons atteint le comble de la mégalomanie en accueillant les Jeux olympiques, qui ont alourdi notre dette d'une quinzaine de milliards d'euros. Nos leaders politiques, qui avaient le devoir de nous aider à nous ressaisir, ont fait le contraire, ils ont encouragé nos illusions pour nous être agréables. Nous n'avons pas seulement menti aux autres, nous nous sommes menti à nous-mêmes. On m'appelait tous les jours de la Banque nationale de Grèce pour me proposer des crédits que je pouvais obtenir sur simple présentation d'une pièce d'identité. L'effondrement de la Bourse d'Athènes au début des années 2000 a été le signe avant-coureur du drame que nous vivons.

Spithas est sur le point d'entamer le troisième gâteau, qui est un baklava.

— Tu ne trouves pas que tu as assez mangé ? le sermonne Katérina.

Il suspend son geste sans déposer toutefois la

petite cuillère. Il s'est mis à pleuvoir. Georges observe les gouttes d'eau qui pèsent sur les feuilles des géraniums qu'il fait pousser sur le rebord de sa fenêtre.

— Les Jeux ont coûté beaucoup plus cher que prévu parce que l'administration était incapable d'organiser un tel événement, dit Spithas. Ayant pris énormément de retard, elle a dû payer le prix fort pour que les installations soient achevées à temps. Le coût du complexe de tennis a été dépassé de 286 pour cent et celui des piscines de 543 pour cent. Je sais de quoi je parle, c'est moi qui ai construit les piscines ! Une minorité de Grecs a gagné énormément d'argent pendant la période que tu as évoquée. La ville qui compte le plus de Porsche Cayenne au monde est Larissa, la capitale de la paysannerie grecque !

Un certain engourdissement gagne peu à peu Georges. La fatigue accumulée par cette incessante course-poursuite que fut sa jeunesse le rattrape maintenant. Il garde les yeux fixés sur la boîte de pâtisseries et voit la cuillère de Spithas s'enfoncer dans le baklava. Katérina a retiré sa main.

— Les riches Grecs ne paient naturellement pas d'impôts, ironise-t-elle.

— Naturellement ! Notre législation nous autorise à contester le montant des sommes réclamées par les services fiscaux sans rien avoir à débourser au préalable, ou très peu, et à gagner ainsi une dizaine d'années de répit, le temps que l'affaire soit tranchée par un tribunal administra-

171

tif. Il peut se passer beaucoup de choses en dix ans, n'est-ce pas ? On peut aussi plus simplement proposer un dessous-de-table à son inspecteur. Les émissaires de la Commission européenne qui ont investi notre ministère des Finances essaient précisément de remédier à cette situation qui fait que l'État grec ne réussit pas à percevoir l'argent qu'on lui doit. Comme il ne peut pas contraindre les riches, il s'acharne sur les pauvres. Je ne serais pas étonné si Georges payait plus d'impôts que moi !

Mais Georges n'a plus envie de prolonger cette discussion. Il a hâte que ses amis partent. Katérina lui emprunte un épisode de la série du *Jeune Héros*, le numéro quatre cent vingt-deux, le seul qui manque à sa collection, pour le photocopier.

— Tu devrais rappeler à ton mari que l'Allemagne nous doit toujours des dommages de guerre, lui dit-il sur le pas de la porte.

Resté seul, il se dirige vers l'étagère et s'empare du pistolet. « Ne fais pas l'idiot », lui conseille l'icône. Il soupèse l'arme, vérifie que la balle est bien à l'intérieur. « Je veux juste me débarrasser de cette balle », répond-il. La pluie n'a pas dispersé les manifestants car ils protestent toujours place de la Constitution. Alors il lève l'arme et tire sur la fenêtre qu'il fait voler en éclats pour mieux entendre leurs cris.

7

Depuis que je vais mieux, mes relations avec mon fils aîné qui est installé à Athènes sont redevenues compliquées. Nos conversations engendrent une certaine tension. Il adopte volontiers une attitude critique à mon égard, comme le font d'ordinaire les pères envers leurs enfants. Il me rappelle que je jugeais moi aussi sévèrement mes parents et les assommais de mes recommandations. Paradoxalement, ce sont les enfants dans ma famille qui ont tendance à monopoliser le discours. Mon fils le découvrira quand il sera père à son tour, ce que pour le moment il n'envisage guère. Il a d'autres projets avec son amie, qui est comédienne. Ils rêvent de créer leur propre espace scénique pour promouvoir leur conception du théâtre. La passion qu'avait mon père pour le théâtre, je l'ai transmise à mon fils sans qu'elle m'atteigne, comme on peut remettre une lettre dont on ignore le contenu. J'ai cependant quelques amis dans le milieu théâtral athénien qui pourraient lui être utiles. Mais je sais qu'il ne voudra pas de leur aide, qu'il ne prendra même pas la peine de noter leur numéro de téléphone. Il aime être confronté à ces difficultés précisément que je pourrais lui épargner. Il s'en fait un point d'honneur. Je suppose qu'il s'est installé en Grèce pour établir ses propres liens avec le pays et se passer ainsi de mon entremise. Comme nous ne parlons plus qu'en grec, j'oublie quelquefois qu'il est né à Paris : j'ai l'illusion de l'avoir toujours connu, de parler à mon frère. Mon fils a eu en somme deux naissances, ce qui est une façon de prendre son destin en main. On devrait se comprendre davantage puisque j'ai eu droit également à une nouvelle vie en France. Nous vivons tous les deux à l'étranger. Avec mon fils cadet qui ne s'est pas expatrié, nous ne parlons pratiquement qu'en français.

Il me semble que les pères font du tort à leurs enfants par leur existence même. Bien des auteurs paraissent convaincus qu'on ne peut s'épanouir et entreprendre de grandes choses que loin du cercle familial. Ils suggèrent que l'éducation n'a d'autre fin que d'étouffer les rêves de la jeunesse. Jim Hawkins – j'ai retrouvé son nom en feuilletant *L'Île au trésor* dans une librairie – ne paraît pas très chagriné par la mort de son père qui survient au début de l'histoire : cette disparition rend aussitôt sa vie plus palpitante, elle lui donne des ailes. L'absence de famille assure aux héros une maturité précoce. C'est peu dire que Georges Azur, qui n'a ni père ni mère, est en avance sur son âge : il parle quatre langues, prend des initiatives qui suscitent l'admiration de l'état-major des forces alliées, apprend à piloter un avion en lisant un manuel, aussi facilement que Jim Hawkins et Dick Sand apprennent à gouverner une goélette. Les héros n'ont pas besoin d'aller à l'école parce qu'ils deviennent leurs propres maîtres. Tarzan ne serait pas l'homme épanoui que l'on connaît s'il avait été élevé par lord Greystoke et lady Alice. Dumas a raison de tenir ses personnages à l'écart de leurs parents : ces derniers ne feraient qu'énerver inutilement leurs fils. Certes, il existe des orphelins malheureux, notamment en Angleterre où la fonction de parent adoptif est exercée, on se demande bien pourquoi, par des personnes qui n'aiment pas les enfants, mais ils finissent par se libérer de l'emprise de leurs tuteurs et par réaliser, sinon des prouesses, tout au moins des carrières très honorables.

Dans la même librairie j'ai découvert que Robinson Crusoé était en conflit avec son père, farouchement opposé à ses projets de voyages. « *J'éprouvais toujours une répugnance invincible pour la maison paternelle* », écrit-il. Contrairement à ce que je croyais, il est dans une forme olympique en arrivant sur son île, très heureux d'avoir eu la vie sauve, et ne se traîne pas à quatre pattes comme je le fais en sortant de la salle de bains. Il n'est nullement déconcerté par la sauvagerie du lieu : on devine en lui l'homme de ressources qui parviendra à refaire tout seul le chemin parcouru par l'espèce humaine depuis qu'elle est descendue des arbres. Je n'ai pas eu envie de prolonger cette lecture : le personnage m'a paru moins admirable qu'autrefois. Ayant récupéré un fusil sur l'épave de son bateau, il tire sur tout ce qui bouge. Il récupère également une bible, qu'il lit assidûment. Il a la détermination et la foi d'un pionnier. Je suis passé directement aux dernières pages du roman, vingt-huit ans plus tard, alors qu'il quitte son île, sans regret car il avoue qu'il n'aime plus la mer.

J'avais posé une de mes béquilles contre les rayonnages et lisais d'une seule main, ce qui n'est guère facile : je ne disposais que de mon pouce pour feuilleter l'ouvrage, mon index étant chargé de le maintenir ouvert. Je lisais avec la crainte que le livre ne m'échappe, qu'il ne s'envole tel un oiseau. Il m'a échappé effectivement à deux reprises, ce qui a fini par attirer l'attention d'une vendeuse.

— Si vous comptez rester longtemps, vous feriez mieux de vous asseoir, m'a-t-elle dit assez rudement.

Elle m'a néanmoins apporté une chaise pliante. Elle était étonnamment âgée pour une vendeuse : une abondante chevelure blanche encadrait son visage émacié, sillonné de rides. Une malformation du dos l'obligeait à tenir sa tête perpétuellement courbée. « Elle ne connaît que les ouvrages qui sont exposés sur les rayons inférieurs », ai-je pensé. Elle portait le même genre de robe grise que Georgette et un foulard de soie blanc serré autour de son cou. J'ai eu la certitude que je l'avais déjà croisée, qu'elle était un personnage de roman, mais je n'ai pas pu me souvenir du récit où elle apparaissait. « Je suis moi-même un personnage de roman. Je fais partie d'une histoire inachevée, voilà pourquoi j'ai encore besoin de mes béquilles. »

En remettant le livre de Defoe à sa place, sur le deuxième rayon, j'ai eu la surprise de constater qu'un de mes premiers romans se trouvait tout en haut de la bibliothèque. Cela m'a fait énormément plaisir, cependant je n'ai pas manqué de relever que le niveau où il était logé le rendait inaccessible aux personnes de taille moyenne. Je me suis ainsi aperçu que les auteurs dont le nom commence par une des premières lettres de l'alphabet sont défavorisés par rapport aux autres, qui ont droit aux rayons que chacun peut atteindre. Charlotte Brontë et Lewis Carroll étant en quelque sorte mes voisins de palier, je n'ai pu compulser ni *Jane Eyre* ni *Alice au pays des merveilles*. J'ai dû me contenter du *Dernier des Mohicans*, James Fenimore Cooper étant placé à côté de Daniel Defoe. Le héros de ce roman, Natty Bumppo, dit Bas-de-Cuir, n'est pas sans rappeler Robinson : c'est un tireur d'élite habillé de peaux de bêtes. Il se vante de pouvoir loger une balle entre les yeux d'un animal, voire plus près de l'œil droit que de l'œil gauche. Il ressemble surtout à tous les héros de western : il est l'arrière-grand-père de John Wayne. Il présente tout de même cette particularité qu'il a été élevé par des Indiens : ceux-ci l'ont initié à tous les secrets de la nature mais, paradoxalement, ne lui ont pas appris à aimer les Indiens. Il déclare à qui veut l'entendre qu'il n'a pas une goutte de leur sang dans les veines. Il a certes de la sympathie, voire une certaine affection, pour les deux Mohicans qui l'accompagnent toujours, un père et son fils, toutefois ils appartiennent à une tribu en voie d'extinction : ce sont les derniers bons Indiens. Les autres sont franchement mauvais, en particulier les Hurons, alliés des Français dans la guerre qui les oppose aux Anglais pour la conquête du Nouveau Monde. Je suis tombé sur ce passage où un Huron arrache un enfant à sa mère pour lui fracasser la tête contre un rocher. J'avais rencontré un chef huron au Québec il y a une vingtaine d'années de cela. Il m'avait offert un totem miniature représentant un oiseau que je conserve toujours précieusement : il est attaché à la cordelette qui actionne ma lampe de chevet rue Juge. C'est la dernière chose que je vois avant d'éteindre la lumière.

Au fur et à mesure que j'avançais dans ma lecture, je me rendais compte que je ne me souvenais plus de ce livre, que j'avais oublié Natty Bumppo, que je n'en avais retenu qu'un petit détail, concernant une ruse indienne qui permet de semer ses poursuivants : elle consiste à marcher à reculons de façon à laisser sur le sol des traces indiquant la direction opposée à celle qu'on a prise. Nous nous appliquions, mon frère et moi, à marcher à reculons dans le jardin de Callithéa quand la pluie avait rendu la terre suffisamment molle pour conserver nos emprein-

tes. Ni le roman de Cooper ni le cinéma améri-
cain n'avaient réussi à nous convaincre que les
Indiens étaient des sauvages. Nous les préférions
aux cow-boys, qui faisaient pourtant l'objet d'élo-
ges unanimes, comme nous préférions combattre
nos ennemis avec un arc et des flèches plutôt
qu'avec un revolver. Nous admirions leur habi-
leté au tir à l'arc, leur capacité à se rendre
invisibles dans la forêt, leur démarche souple, leur
maintien à cheval, la cascade de plumes qui leur
tenait lieu de coiffure, la finesse de leur ouïe,
l'acuité de leur regard, la couleur de leur peau
brûlée par le soleil, la fierté de leur expression.
Nous les voyions surtout comme des hommes
libres. Nous jugions bien moins séduisante la vie
des cow-boys, qui se limitait pour l'essentiel à des
allées et venues dans l'unique rue de leur village.
Nous appréciions aussi le fait que les Indiens
étaient très peu prolixes, ils épargnaient à leurs
enfants les sermons moralisateurs auxquels nous
avions régulièrement droit. Il est vrai que les
cow-boys ne parlaient pas davantage : ils se
contentaient le plus souvent d'un *O.K.* qui faisait
écho à l'exclamation *Hugh !* des Indiens. Je n'ai
vraiment pris conscience de l'affection que j'avais
toujours portée aux Peaux-Rouges que lors de ma
rencontre avec ce chef huron : j'ai eu l'impression
de retrouver quelqu'un de ma famille. Sa tribu
habitait de petites maisons carrées qui m'ont
remis en mémoire la remise du jardin de Callithéa. À travers les pages du livre je voyais
d'immenses étendues boisées, des lacs, des riviè-

res, des chutes d'eau, et dans le ciel le visage un peu triste de mon frère qui semblait regretter autant que moi que nos conversations aient été interrompues si tôt.

Soudain le cri terrible d'un cheval à l'agonie a retenti. Il a couvert tous les bruits venant du dehors, on aurait dit que l'animal suffoquait au milieu de la librairie. Cela a suscité un grand émoi, non seulement chez les clients qui étaient nombreux à cette heure, mais aussi chez les vendeuses. J'ai remarqué à cette occasion qu'elles étaient toutes âgées, comme celle qui m'avait fourni mon siège. Le cri s'arrêtait momentanément, comme si le cheval était à bout de souffle, et reprenait de plus belle.

— Qu'est-ce que ça signifie ? a demandé une belle blonde d'une voix mélodieuse mais sur un ton impérieux.

Elle se tenait à côté de la caissière qui a tenté de la calmer :

— C'est la première fois qu'on entend le cri d'un cheval à l'agonie dans notre librairie, lui a-t-elle dit.

Plusieurs clients prenaient le chemin de la sortie. Mais à peine avaient-ils ouvert les portes qu'un souffle brûlant d'une violence inouïe les a repoussés en arrière. Certains se sont cachés sous les tables où étaient exposées les nouveautés, d'autres se sont protégé le visage avec des albums de bandes dessinées. Le souffle m'a atteint aussi, faisant tourner quelques pages de mon livre. Un grand jeune homme accomplissait des gestes dé-

sordonnés comme s'il était en lutte avec un spec-
tre. Puis il s'est mis à expédier dans toutes les
directions les livres qui lui tombaient sous la main.
Je conservais pour ma part tout mon sang-froid. Je
n'étais nullement affecté par le bruit, d'ailleurs le
cheval s'était tu, ni par la nervosité ambiante,
j'étais juste dérangé. J'ai interpellé la vendeuse qui
m'avait rendu service :

— Je ne puis plus lire, ai-je protesté.

— Vous avez assez lu, m'a-t-elle apostrophé.
Beaucoup trop, même. Ce n'est pas un cabinet de
lecture ici. Vous devriez acheter les ouvrages qui
vous intéressent.

Je lui ai expliqué que j'avais oublié de prendre
mon portefeuille en quittant l'hôtel.

— J'habite l'hôtel Perreyve, ai-je cru utile de
préciser.

Elle m'a considéré d'un air parfaitement hé-
bété : elle venait de recevoir sur la tête le *Petit
Robert*, dans sa nouvelle édition, catapulté par le
jeune homme en colère. L'instant d'après elle
s'écroulait à mes pieds. « C'est une belle mort
pour une libraire », ai-je songé.

Des voix s'élevaient un peu partout réclamant
le directeur.

— Appelez tout de suite le directeur ! Qu'est-
ce que vous attendez pour l'alerter ? Où est son
bureau ?

Il devait être au fond du magasin, qui était
réservé aux livres pour enfants : c'est là qu'il est
apparu, habillé en prestidigitateur, d'un chapeau
haut de forme et d'une longue cape noire doublée

de satin rouge. Je fus frappé par la taille des boutons, rouges également, qui fermaient son gilet : ils étaient grands comme des soucoupes. Il n'y en avait que deux, faute de place pour un troisième. Il tenait une canne qui devait être bourrée de mouchoirs multicolores.

— Silence ! a-t-il commandé.

Il a dû répéter ce mot trois fois pour obtenir un résultat, après quoi il a poursuivi :

— Mes amis ! Je n'ai pas l'habitude de cacher la vérité à mes clients ! D'ici peu nous allons être assaillis par une horde d'Indiens. Ils ne sont pas contents ! Ils trouvent que la littérature leur a fait énormément de tort ! On peut les comprendre ! Ça sera une partie très serrée entre la vie et la mort ! Il faut les empêcher à tout prix d'entrer dans la librairie !

Nous nous étions tous retournés vers l'entrée : les Indiens étaient déjà sur le trottoir, grimaçant affreusement, crachant même sur la baie vitrée, brandissant des lances et des tomahawks.

— Vite, a poursuivi le directeur, dressons une barricade de livres devant les portes ! Grouillez-vous et priez Dieu !

Tout le monde a pris part à l'opération, le plus actif étant le jeune homme qui avait commencé à mettre la pagaille sans qu'on le lui ait demandé. Une nuée de livres s'est envolée vers les portes et les vitrines, dissimulant peu à peu l'inquiétant spectacle offert par les Peaux-Rouges. Le directeur entonnait le cantique bien connu « *Celui qui doit être sauvé sera sauvé* ».

— Sommes-nous ou ne sommes-nous pas en danger de mort ? m'a interrogé la belle blonde.

Elle avait une peau d'albâtre et ses yeux jetaient des reflets d'émeraude.

— Je ne permettrai pas qu'on touche à un seul de vos cheveux, ai-je déclaré. Du reste, les Indiens sont mes amis. Je connais personnellement leur chef, Renard-Subtil. Je l'ai rencontré au Québec. Il m'avait surnommé Cerf-Agile. Ce n'est pas encore aujourd'hui que vous verrez le soleil se coucher pour la dernière fois.

— Mais elle est bien morte, celle-là, a-t-elle insisté en repoussant de la pointe de son escarpin la tête de la vendeuse.

— Non, je ne suis pas morte, a rectifié celle-ci en n'ouvrant qu'un œil. J'ai entendu tout ce que vous avez dit. Il y a un ami des Indiens ici, monsieur le directeur !

Elle s'est donné tant de mal pour articuler suffisamment fort cette dernière phrase qu'elle s'est à nouveau évanouie. Elle avait quasiment le nez dans le dictionnaire, qui était ouvert à la lettre *H*. J'en ai profité pour voir si le mot « *hugh* » y figurait. Il y est bien, mais avec une autre définition que celle donnée par Cooper : pour le *Robert* il s'agit d'un cri de guerre tandis que pour le romancier c'est une exclamation de surprise.

Pendant que je lisais, le directeur s'était planté devant moi, portant sa canne, qui se terminait par une méchante pointe d'acier, comme une épée. Je n'ai eu aucun mal à parer son premier coup avec ma béquille.

— Vous êtes un foudre de guerre ! l'ai-je taquiné.

Mais lorsqu'il m'a chargé pour la troisième fois, je me suis fâché : j'ai abattu ma seconde béquille sur son haut-de-forme qui s'est enfoncé jusqu'à sa barbe. Il a encore tenté de me frapper, mais ne voyant plus rien il a trébuché sur le corps inerte de la vendeuse et s'est étalé par terre, à la grande satisfaction de la belle enfant qui riait aux éclats.

— Partons d'ici, l'ai-je exhortée.

— Mais c'est un véritable démon que ce Grec ! s'est exclamée la caissière au moment où je passais devant elle en entraînant la blonde à ma suite.

Nous sommes sortis du magasin par la porte de derrière, non sans avoir croisé un vieux monsieur qui prenait des notes dans un calepin noir. Nous sommes tombés sur Renard-Subtil, qui avait naturellement découvert l'existence de cette issue. Il était en train d'essuyer son tomahawk ensanglanté sur son pantalon. Aussitôt qu'il m'a vu, sa large face s'est illuminée :

— Renard-Subtil très heureux de revoir Cerf-Agile !

Il m'a serré contre sa poitrine.

— Mais que vois-je ? a-t-il ajouté. Cerf-Agile blessé ? Cerf-Agile handicapé à vie ?

— Non, pas à vie, l'ai-je rassuré. Cerf-Agile retrouvera bientôt ses jambes de jadis.

J'ai voulu lui présenter la blonde, j'ignorais cependant son nom. Elle s'est présentée elle-même :

— Je suis née Anne de Breuil. Mais je suis plus connue sous le nom de Milady.

D'un geste vif je lui ai arraché son sac à main, que j'ai aussitôt ouvert : comme je m'y attendais, il était plein de billets jetés en vrac. Milady avait raflé la recette de la librairie.

J'ai eu le pressentiment, en retournant au jardin du Luxembourg après plusieurs jours d'absence, que je ne trouverais plus à sa place la feuille qui avait si vaillamment résisté au vent et à la pluie pendant les premières semaines de l'automne. Mon intuition n'était peut-être qu'une tentative de déjouer le sort, car les choses qu'on prévoit se réalisent rarement. J'ai envisagé le pire pour l'empêcher de se produire. On avait balayé l'allée avec soin, la terre était nue. Arrivé près du marronnier qui abritait la feuille en question j'ai hésité à lever les yeux. Je n'étais pas pressé d'être déçu. J'ai même scruté les alentours en quête de je ne sais quelle bizarrerie susceptible de retenir mon attention pendant un moment. Mais il n'y avait rien à voir. Le terrain de basket était désert, comme ses environs. Je n'ai remarqué qu'une femme qui promenait ses jumeaux dans une poussette à deux places. J'ai fini par porter mon regard sur l'arbre, en commençant toutefois par le tronc que j'ai examiné comme si je voulais m'assurer qu'il était en parfait état. À mi-hauteur, j'ai repéré un insecte qui grimpait sans se presser. Je l'ai suivi. Nous avons atteint en même temps les premières branches : la feuille n'y était pas. Je l'ai cherchée plus haut, j'ai passé en revue une à une toutes les branches sans la trouver.

La mère des jumeaux qui venait de s'engager dans l'allée m'a considéré d'une mine sévère, croyant probablement que j'étais en train de pisser. Je me suis écarté de l'arbre afin de lui montrer qu'elle se trompait, et c'est alors que j'ai aperçu la feuille. Elle n'était pas très visible, ayant la même couleur marron sombre que les branches, elle était bien là cependant, elle a d'ailleurs remué un peu comme pour me saluer. J'ai été heureux pendant quelques instants – quelques instants seulement car le vent s'est levé et la feuille s'est détachée alors que j'étais en train de l'admirer. Elle a glissé sur la branche, après quoi elle a affronté le vide. Elle tombait lentement, en oscillant, elle se mourait en dansant. Il m'a paru évident que je devais à tout prix l'empêcher de se coucher par terre. Je me suis mis à imiter ses mouvements puis, lorsqu'elle n'était plus qu'à deux mètres au-dessus de ma tête, j'ai lâché complètement mes béquilles pour disposer de mes deux mains. Elle était d'humeur à jouer car elle tournoyait autour de moi en m'évitant soigneusement. Elle m'a obligé à faire un pas de côté, à reculer, à exécuter une volte-face. Elle m'a permis de découvrir que mes jambes étaient plus solides que je ne le croyais. Quand elle a enfin consenti à se poser dans le creux de mes mains réunies, il m'a semblé que je n'avais jamais rien tenu d'aussi précieux de ma vie. Son bord était joliment dentelé et ses nervures avaient conservé un soupçon de son teint vert passé. Une voix a interrompu mon recueillement :

— Vous avez trouvé quelque chose ?

Ricardo se tenait derrière moi, à quelque distance, comme s'il craignait de me déranger. Me dérangeait-il ? Je n'avais pas très envie de parler, ni de rester seul. Je n'avais aucune envie déterminée en fait. « Il pourra toujours m'aider à récupérer mes béquilles. » Je lui ai raconté que la feuille était tombée sous mes yeux.

— Il arrive qu'une montre s'arrête pendant qu'on regarde l'heure, a-t-il commenté.

Il s'est approché pour voir la feuille. Il avait remplacé le chrysanthème que j'avais vu à sa boutonnière par une toute petite fleur jaune. Ses traits étaient tirés, on aurait dit qu'il n'avait pas fermé l'œil de la nuit.

— Vous devriez la garder, a-t-il tranché d'un ton qui m'a rappelé le chirurgien d'Aix. Chaque fois que vous poserez les yeux sur elle, elle fera surgir comme par magie tout le jardin du Luxembourg. Elle a un pouvoir magique désormais.

Je l'ai glissée dans la poche de ma parka : je comptais bien la garder, en effet. Il s'est donné beaucoup de mal pour ramasser mes béquilles, il souffre du dos, il a dû fléchir les genoux pour les atteindre.

— Vous me les donnerez quand vous serez rétabli ? Je suis sûr que j'en aurai besoin un jour ou l'autre.

Où les rangerait-il en attendant ? Où logeait-il donc ? Georgette lui avait certainement parlé de mes activités car il m'a demandé s'il était vrai que j'écrivais des livres.

— J'espère que vous me mentionnerez dans votre prochain récit, m'a-t-il suggéré. Je parle bien le français comme vous pouvez le constater. Le genre de vie que je mène est assez romanesque, il me semble. Même un rôle secondaire me conviendrait. Je n'ai jamais eu beaucoup d'ambition.

Pourquoi avait-il renoncé à jouer du violon ? Pourquoi avait-il quitté l'Italie ? Pour quelle raison le signor Vitalis prend-il congé de son pays ? Fallait-il relire *Sans famille* pour comprendre Ricardo ?

— Écrire est une ambition, n'est-ce pas ?

— Et une peur.

— Une ambition et une peur, a-t-il conclu d'un air satisfait.

Le personnage truculent que j'avais rencontré dans le local de Marie-Paule avait cédé la place à un homme enclin à la mélancolie. « Je trouve qu'il a changé parce que je ne le connais pas suffisamment », ai-je pensé. Alors que nous traversions l'allée, j'ai vu du côté de l'Auberge des Marionnettes un arbre qui était en train de se déplacer. Ce n'était pas un grand arbre et il n'allait pas vite, mais enfin il avançait. Mon étonnement a arraché un pâle sourire à Ricardo.

— Les arbres qui ne supportent pas le froid sont plantés dans des caisses. Ils passent la belle saison à l'extérieur et l'hiver dans l'orangerie, la serre aux grandes portes-fenêtres cintrées que vous voyez à gauche de l'allée. Il s'agit d'un contingent de trois cents arbres environ, dont plusieurs palmiers et un grand nombre d'orangers amers. Ces derniers vivent en moyenne trois cents ans, ce sont les arbres les plus vieux du jardin. Certains, dit-on, datent de l'époque de Marie de Médicis.

Je connais la résistance des orangers amers, qui arrivent à s'épanouir même dans des endroits aussi pollués que les rues d'Athènes. Au printemps ils gratifient la ville d'un doux parfum. Cependant l'arbre en mouvement n'était pas un oranger amer, ni un palmier. Il s'est arrêté pour laisser passer la femme avec ses jumeaux. Il était placé à l'avant d'une sorte de char : Ricardo m'a informé que ledit véhicule s'appelle un « fardier », probablement pour me convaincre qu'il connaissait suffisamment la langue. Il m'a appris aussi que l'arbre était un grenadier.

— Il vient peut-être de Grèce. La majorité des grenadiers viennent de Grèce, ou d'Italie.

Ai-je déjà dit qu'il y avait, en plus des acacias, un grenadier dans le jardin de Callithéa ? J'ai rêvé un instant que l'arbre qui cheminait était le grenadier de mon enfance. Je me suis arrêté au bord de l'allée.

— Ça ne va pas ? m'a demandé Ricardo.

Je venais de ressentir une douleur aiguë à la jambe gauche. Je me suis retrouvé dans le bloc opératoire. « Je passerai le reste de ma vie entre l'hôpital d'Aix et l'hôtel Perreyve. Je ne rentrerai jamais chez moi. »

— Je voudrais m'asseoir, ai-je admis.

Devais-je me méfier de Ricardo ? Allait-il me demander de l'argent ? J'ai décidé de ne pas lui donner mon adresse de la rue Juge pour éviter qu'il ne frappe une nuit à ma porte. Je l'ai néanmoins invité à prendre un café à l'Auberge. Nous avons pris place à l'extérieur et pendant quelques minutes nous nous sommes contentés de contempler les arbres.

— Ils sont sinistres, vous ne trouvez pas ? Je préfère les arbres à feuilles persistantes qui défient l'hiver. Savez-vous que les marronniers se nourrissent de leurs propres feuilles ? Le compost qu'on leur fournit est fabriqué à base de feuilles mortes qu'on fait fermenter près de la pépinière. Vous avez vu les arbres de la pépinière ? Eux sont franchement monstrueux. Ils n'ont pas de tronc, ils n'ont que des branches aussi fines que celles d'un rosier, auxquelles on fait épouser, au moyen d'un écheveau de fils de fer, des formes aberrantes : l'un ressemble à un trident, l'autre à un candélabre, le troisième à un croissant, le quatrième se développe en losanges. Cela donne de beaux fruits incontestablement, des pommes et des poires principalement, qui sont paraît-il destinés aux pauvres. Je n'ai mangé pour ma part que ceux que j'ai pu voler.

Le serveur a dû s'imaginer que Ricardo s'était invité tout seul à ma table car il lui a dit sur un ton peu amène :

— Tu es encore là, toi ?

— Oui, je suis là, connard, a répliqué l'Italien en se levant à moitié.

J'ai prévenu l'explosion qui menaçait en commandant deux cafés.

— Je préfère prendre un cognac, a rectifié Ricardo.

Le serveur n'a plus rien dit. Il m'a néanmoins adressé, en s'éloignant, une mimique qui était peut-être une mise en garde. Ricardo a déplacé sa chaise de façon à tourner le dos à l'Auberge.

— Vous le connaissez cet homme ? m'a-t-il demandé. C'est un ruffian. *Ruffiano*, on dit en italien.

— On a le même mot en grec.

— Il veut ma peau, il m'a juré qu'il me chasserait du jardin, il porte régulièrement toutes sortes d'accusations contre moi auprès des gardiens, auprès de l'administration du Sénat aussi, notamment de vendre de la came. Je n'ai jamais touché à la drogue, j'ai peur qu'elle m'entraîne dans des histoires trop compliquées pour moi. Je croyais que seuls les riches avaient des ennemis. Eh bien, moi aussi j'en ai un. Est-il jaloux de la petite notoriété dont je jouis auprès de la clientèle du parc ? Peut-on haïr par désœuvrement, juste pour s'occuper ? Mais il a un boulot, le drôle ! Il semble d'ailleurs qu'il le fait très bien. Je crois qu'il m'a pris en grippe soudainement, comme on tombe amoureux. Récemment, un jeune homme s'est suicidé dans le jardin en avalant un produit de débouchage mélangé à du yaourt aux fraises. Il est allé raconter aux flics que j'étais un grand amateur de yaourts aux fraises, que j'en avais toujours dans ma besace. Je n'ai rien dit de tout cela à Odile, car elle serait capable de le virer illico et il a trois enfants. J'espère qu'il se calmera un jour.

Ce n'est pas le serveur qui nous a apporté notre commande mais une toute jeune fille.

— Il veut savoir à tout prix où j'habite, il est persuadé que je squatte quelque part, ce qui n'est pas faux. Il m'a suivi une nuit, il a longtemps marché derrière moi comme dans les films, en se cachant tantôt derrière un arbre, tantôt dans le renfoncement d'une porte. Je l'avais repéré dès le départ, je me suis amusé à lui faire faire dix fois le tour du quartier. Mais j'ai fini par m'épuiser aussi, alors je me suis arrêté et je lui ai foutu mon poing dans la figure.

Moi qui avais imaginé le serveur dans la peau de Thénardier, j'ai pensé que le rôle qui lui convenait le mieux était en fait celui de Javert. Je me suis juré que je ne remettrais plus jamais les pieds à l'Auberge des Marionnettes.

— Voler devient de plus en plus difficile. Les attentats des années 90 ont rendu les gens extrêmement méfiants, ils surveillent davantage leurs affaires, ils surveillent aussi celles des autres, ils voient des islamistes partout. Le discours du pouvoir sur les immigrés a encore accentué leur suspicion, l'usage des fermetures Éclair s'est généralisé, certaines femmes dissimulent une véritable armurerie dans leur sac. Et puis je dois reconnaître que j'ai perdu ma dextérité d'antan. Vous avez vu comme ma main tremble ?

Le cognac se balançait doucement dans son verre qu'il tenait de la main droite.

— Quand je suis détendu ma main aussi se détend. Cela ne m'arrive pas souvent, hélas. Il n'est pas facile d'être insouciant dans ma situation. Heureusement, je ne suis atteint par la maladie que du côté droit. Il faudra que j'apprenne à voler de la main gauche !

J'ai voulu savoir s'il était à la recherche d'un travail.

— Je ne vais pas me mettre à travailler à l'âge où tout le monde prend sa retraite ! a-t-il protesté. Avez-vous remarqué que tous les retraités rêvent d'écrire un roman policier ?

Il était en train de redevenir le personnage que j'avais connu. Le jeune Noir au pied bot a fait son apparition sur le terrain de basket. Il a déposé son blouson au pied du pilier qui soutient le panneau, ensuite il s'est appliqué à serrer davantage les lacets de ses chaussures. La femme aux jumeaux apparaissait tantôt à un endroit, tantôt à un autre. J'ai eu l'idée que ses enfants étaient morts et qu'elle cherchait un lieu pour les enterrer.

— Les arbres ne sont pas très heureux ici. On les a plantés beaucoup trop près les uns des autres, ils se gênent mutuellement, c'est le manque de lumière qui les oblige à monter si haut. Ils souffrent également de la pollution, qui encrasse leur écorce et les asphyxie. Ils accueillent chaque nuit des centaines d'étourneaux dont la fiente est un poison pour les feuilles. Les marronniers vivent moitié moins longtemps ici qu'à la campagne. Les déjections des pigeons sont aussi très corrosives, mais ils préfèrent s'attaquer, eux, aux statues plutôt qu'aux arbres. Leur dernière victime a été Eustache Le Sueur, peintre religieux auteur d'une *Vie de saint Bruno*, qui a été obligé de quitter le jardin. Ce lieu apparemment si paisible est le théâtre de bien des drames. Les corneilles mangent les jeunes pigeons, les goélands les carpes du grand bassin, celles-ci dévorent les canetons après les avoir entraînés dans le fond et noyés. Quand il pleut, les mouettes ont l'habitude de sautiller sur la terre mouillée : elles obtiennent ainsi que les vers, qui constituent un de leurs aliments préférés, montent à la surface. Les arbres aussi peuvent se révéler nocifs : un poney est mort il y a peu pour avoir mangé les fruits toxiques d'un if.

Je suis quelquefois étonné par mon ignorance. Comment ai-je pu atteindre l'âge qui est le mien sans avoir emmagasiné davantage de connaissances ? Je ne rencontre que des gens qui en savent bien plus long que moi sur toutes sortes de questions. Les rares fois où l'on m'interroge, je perds mes moyens, si grande est ma conviction qu'il y a peu de chances que je connaisse la réponse. Même les questions les plus ordinaires relatives à l'emplacement d'une rue me troublent. J'ai beau la connaître parfaitement cette rue, je suis incapable de la situer dès lors qu'on me le demande. Je regarde de tous les côtés comme une girouette et le plus souvent je donne une fausse indication. Ricardo a voulu commander un autre cognac. J'avais fini mon café. J'étais à nouveau indécis, je n'arrivais pas à comprendre si je préférais prolonger notre tête-à-tête ou partir. J'ai laissé l'argent de nos consommations sur la table et lui ai donné un billet supplémentaire pour son second cognac. Il ne m'a rien demandé de plus.

— J'irai le prendre ailleurs. Je passerai peut-être d'abord voir Marie-Paule. Et vous, qu'est-ce que vous allez faire ?

Il m'a posé cette dernière question de façon un peu déférente, comme si notre entretien ne nous avait pas vraiment rapprochés.

— Je vais essayer de traverser tout le jardin jusqu'au boulevard Saint-Michel. Je ne l'ai encore jamais fait.

— Vous verrez que les marronniers en face du Sénat sont taillés en forme de cubes. Ils ressemblent à des maisons sur pilotis. Les jardiniers français se méfient de la nature, ils trouvent qu'elle ne fait pas bien son métier.

Je lui ai confié que j'avais déjà été frappé par l'aspect géométrique des parterres fleuris.

— Les jardiniers aiment l'ordre. Ils ne supportent pas que des fleurs aux couleurs différentes cohabitent sur la même parcelle. Ils construisent des ghettos de fleurs, ils mettent des frontières partout. Ce sont probablement des gens de droite comme les sénateurs, vous ne croyez pas ?

— Peut-être, ai-je répondu prudemment.

J'ai aperçu un cœur gravé sur un arbre, qui encadrait les initiales « P » et « S ». Je lui ai demandé si cette marque resterait longtemps visible.

— Pas très longtemps. L'écorce la recouvrira peu à peu, elle sera complètement effacée dans cinq ans.

— Ce n'est pas peu, cinq ans, ai-je remarqué.

Quels étaient les noms qui se cachaient derrière ces deux initiales ? Pierre et Suzanne ? Pauline et Samuel ? Périclès et Sophia ? J'ai passé en revue tous les noms que je connaissais commençant par ces deux lettres. Cet exercice m'a occupé jusqu'à la grille du jardin, que je n'ai pas franchie : il y avait trop de monde sur le boulevard Saint-Michel, trop d'agitation, je n'avais rien à y faire. Je suis resté un moment sur un banc en attendant d'avoir récupéré suffisamment pour entamer le chemin du retour.

J'ai retrouvé Ricardo la nuit. J'étais en train de travailler rue Juge, tenant mon crayon d'une main, tournant les pages du dictionnaire de l'autre, je cherchais le mot « ruffian » pour m'assurer qu'il prenait bien deux *f*. Vers onze heures Ricardo a frappé à ma porte.

— Je peux passer une nuit chez vous ? Juste une nuit ! Je ne sais pas où aller.

— Vous voyez bien qu'il n'y a pas de place !

Il a avancé d'un pas pour mieux inspecter mon studio.

— Vous avez raison, il n'y a pas de place, sauf sous votre table. Puis-je dormir sous votre table ? Cela me donnera des idées. Je suis capable de me faire tout petit, vous savez.

196

— Il n'en est pas question ! Je n'arriverai plus à travailler si vous vous mettez là. Je peux accepter beaucoup de choses de mes personnages, mais pas qu'ils m'empêchent d'écrire !

8

La menace d'une faillite de la Grèce et ses répercussions prévisibles sur l'Europe et sur les marchés du monde entier ont donné une nouvelle dimension au pays : il est devenu une grande puissance maléfique. Le projet du premier ministre Georges Papandréou d'organiser un référendum sur les mesures d'austérité préconisées par l'Union européenne et le Fonds monétaire international a jeté le trouble dans les Bourses les plus reculées de la planète. L'Asie du Sud-Est n'a pu reprendre son souffle que lorsque Papandréou a renoncé à son idée. Pendant que la Grèce grandissait, le monde, lui, devenait tout petit. L'état désastreux des finances du pays a été révélé, selon des amis mieux informés que moi que j'ai pu joindre par téléphone, par la chute de la banque américaine Lehman Brothers. Il est paraît-il aussi mauvais qu'au lendemain de la Seconde Guerre mondiale, où un million et demi de Grecs sont partis en Amérique, en Australie ou en Allemagne. L'histoire de la diaspora grecque est très ancienne, elle remonte à l'Antiquité, cependant ce mouvement a été l'un des plus importants. Les fonds envoyés par ces expatriés, par les marins employés sur les bateaux de commerce, ainsi que les devises provenant du tourisme ont permis au pays de subsister tant bien que mal pendant trois décennies, plutôt bien même depuis qu'il reçoit en plus des aides européennes. Malheureusement toute cette manne n'a pas servi au développement de l'économie nationale. Les Grecs ont appris à dépenser, pas à gagner de l'argent. Une partie des habitants du pays s'est enrichie tandis que le pays lui-même restait sous-développé.

Les difficultés sont apparues au début des années 90, lorsque les armateurs ont eu recours à la main-d'œuvre asiatique et que les expatriés déjà âgés ont commencé à rentrer au pays. À partir de cette période, les hommes politiques n'ont eu d'autre moyen pour sauver les apparences et assurer leur réélection que de s'endetter massivement. À nouveau, les jeunes envisagent de partir. Un des rares métiers qui prospèrent aujourd'hui en Grèce est celui de professeur de langues.

Les indignés occupent toujours la place de la Constitution. Ils ont par ailleurs confisqué, en plein centre-ville, un terrain appartenant à la municipalité où ils ont planté des arbres, installé des bancs et des balançoires pour les enfants. C'est devenu un lieu de rendez-vous très agréable. De temps en temps ils mettent le feu à une banque. Paradoxalement, ils ne touchent pas aux églises : mon fils m'a dit qu'il n'y a pas le moindre graffiti sur les édifices religieux. Ils ont le sentiment que la démocratie a été abolie, que le destin du pays se joue dans des salles inaccessibles aux bruits de la rue, feutrées, richement lambrissées, où il y a parfois une statue grecque dans un coin. La Grèce est en train de se rappeler que le mot « démocratie » fait partie de son vocabulaire. C'est bien ce mot, inscrit en lettres géantes sur une toile, que des étudiants ont installé sur le toit de l'hôtel de Grande-Bretagne qui jouxte la place de la Constitution. Pendant qu'ils faisaient ce travail, la foule qui les observait scandait ce même vocable. Soudain, elle s'est mise à crier : « À l'envers ! À l'envers ! » Les étudiants avaient en effet accroché le panneau à l'envers, les lettres tournées vers le bas. Ils ont fini par entendre les cris et ont remis le mot à l'endroit.

Les suicides sont particulièrement nombreux en Crète. Les services sociaux avancent deux explications à cela, premièrement que la plupart des Crétois possèdent une arme, et deuxièmement qu'ils sont fiers. Ils ressentent, semble-t-il, comme une humiliation épouvantable la diminution de leurs revenus, le chômage, l'indigence qui menace. Les armes mais aussi la fierté sont un héritage des luttes qu'ils ont menées pour leur libération et que le romancier Nikos Kazantzakis, crétois lui-même, évoque amplement. Le héros kazantzakien, très orgueilleux en effet, n'est toutefois pas homme à broyer du noir. Je pense qu'il réagirait avec panache à la conjoncture actuelle, je n'ai aucun mal à l'imaginer faisant irruption dans le Bundestag pour sermonner les députés allemands. Comment exprimerait-il son indignation, quels mots trouverait-il pour leur faire comprendre qu'ils devraient se réjouir de pouvoir aujourd'hui sauver l'Europe ? Alexis Zorbas, la plus célèbre créature de Kazantzakis, ne dit rien lorsqu'il est trop ému, lorsqu'il y a trop à dire justement : il se met à danser. J'ai donc rêvé, pendant que je parlais avec un journaliste athénien des suicides en Crète, d'Alexis Zorbas dansant devant les députés allemands après avoir enlevé ses chaussures et retroussé son pantalon.

Ma grand-mère Irini dépensait la moitié de sa retraite, qui était plutôt maigre, le premier samedi du mois en invitant toute la famille, une douzaine de personnes environ, dans l'un des meilleurs restaurants d'Athènes. Elle mangeait très peu et buvait juste un ou deux verres d'ouzo, elle nous regardait cependant avec délectation. Je me souviens de ses yeux pétillants et de son sourire. Sans doute Mme Merkel et Mme Lagarde jugeraient-elles insensés ces déjeuners : elles auraient raison et tort à la fois, tant il est vrai que la pire des folies consiste à n'en commettre aucune. Je suis pour ma part reconnaissant à Irini : je lui dois quelques-uns de mes meilleurs souvenirs.

Mon père, le fils d'Irini, avait lui le goût des économies. Qui le lui avait inculqué ? Pas sa mère, bien sûr, ni son père qu'il avait à peine connu. Ce sont probablement les difficultés de la vie qui le lui ont enseigné. Comme il ne gagnait pas beaucoup d'argent, il faisait des économies de bouts de chandelle qui exaspéraient ma mère. Il n'a cessé d'avoir peur du lendemain que vers la fin de sa vie. Il a distribué alors la jolie somme qu'il avait amassée à ses fils et ses petits-fils. J'ai investi ma part dans l'appartement que j'ai acheté à Athènes. Il est assez grand pour accueillir en permanence une table de ping-pong. Sans l'apport de mon père je n'aurais pas eu assez de place pour cette table. Ainsi je pense à lui quand je joue au ping-pong, comme je pense à ma grand-mère quand j'ouvre une nouvelle bouteille d'ouzo. Ma conviction que l'argent ne vaut que dans la mesure où il permet de faire plaisir aux autres, je la dois probablement à tous les deux.

Aucune chanson populaire à ma connaissance ne chante les mérites de l'épargne. Elles sont nombreuses en revanche à rappeler qu'on n'emporte pas son argent dans la tombe et qu'il faut en profiter avant qu'il ne soit trop tard. Nous n'avons qu'une vie, n'est-ce pas ? Les auteurs de chansons appartiennent généralement à des milieux très modestes : c'est dire que le manque d'argent n'incite pas forcément à la prudence. Ni sa possession d'ailleurs, car les écrivains, issus habituellement des classes aisées, ne font pas non plus l'éloge de l'esprit d'économie.

— Les héros de nos romans ne sont pas attachés à l'argent, m'a assuré un vieux critique littéraire que j'ai également joint par téléphone. Certains le dépensent avec ostentation, pour épater la galerie. Zorbas distribue le sien à des enfants et se sent aussitôt plus léger. Junkerman, le personnage créé par Karagatsis, n'est pas moins généreux. Ce sont surtout les pères de famille ayant une fille à marier qui pratiquent l'épargne : avant-guerre il était impossible de trouver un mari si l'on n'avait pas une dot conséquente. Le roman de Théotokis *L'Honneur et l'Argent,* publié en 1914, évoque le drame d'une jeune fille déshonorée par un aristocrate ruiné qui n'est qu'un coureur de dot. La mère de cette demoiselle est une dame assez avare. Nous n'avons pas néanmoins dans notre littérature l'équivalent du père Grandet ou d'Ebenezer Scrooge, le héros sans cœur du *Chant de Noël* de Dickens.

Il m'a parlé lui aussi de la crise actuelle :

— L'adhésion de beaucoup de Grecs à l'idée que la promotion sociale ne s'obtient pas par le travail mais plutôt par relations est un legs de la période ottomane, où effectivement les postes étaient distribués selon le bon plaisir du sultan à qui savait lui être agréable. Nos députés sont entourés en permanence par une cour qui sollicite leurs faveurs et souvent les obtient : c'est ce qui explique que nos services publics comptent un personnel excessivement nombreux et rarement compétent.

J'ai retenu encore de notre conversation le fait que le prix du papier, qui est un produit importé, a terriblement augmenté :

— Il atteint de tels niveaux que les écrivains ne pourront plus écrire que sur les murs. Ce sera un bon exercice, ça leur apprendra à aller plus vite à l'essentiel !

À chaque coup de téléphone mon humeur s'assombrissait un peu plus. J'ai fini par me demander si les Grecs de l'Antiquité étaient plus raisonnables que ceux d'aujourd'hui et j'ai appelé Miltiadis, qui dirige le département d'histoire ancienne au Centre de recherche en sciences sociales. Il semble que les Athéniens savaient pertinemment que la défense de leur indépendance et de leur démocratie dépendait de la bonne gestion de leurs finances.

— Nous avons besoin de relire Périclès qui, contrairement à nombre de nos politiciens, était un homme parfaitement intègre.

Mais à l'époque Athènes disposait des mines d'argent de Laurion, où le travail était effectué par des esclaves et des métèques. Aristophane soutient dans sa comédie *Plutus* que le dieu de la richesse est aveugle et qu'il distribue arbitrairement la fortune : il annonce déjà, en quelque sorte, la politique des sultans. Les sages, Platon et Aristote en tête, réprouvent l'appât du gain et recommandent la modération. Ils ne sont pas nécessairement très écoutés, pas jusqu'à Agrigente en tout cas, où Empédocle constate que ses concitoyens vivent dans le luxe « *comme s'ils devaient mourir demain* ». À sa critique des nouveaux riches répond le sophiste Antiphon qui fustige, lui, les gens qui ne s'occupent pas du présent et consacrent toutes leurs forces à préparer un avenir hypothétique. « *Pendant qu'ils font cela*, note-t-il, *le temps s'en va et il est perdu.* » Sa philosophie ne diffère pas beaucoup de celle de ma grand-mère et des auteurs de chansons populaires.

Une fois que j'ai eu raccroché je me suis senti complètement démoralisé. « La Grèce aura tant changé d'ici mon retour que je ne la reconnaîtrai plus », ai-je pensé. Ma chambre d'hôtel m'a paru comme une cellule de prison. J'ai haï mes béquilles qui reposaient contre le mur. Le journaliste qui m'avait renseigné sur les suicides m'avait aussi appris que la presse internationale usait parfois de mots très durs envers la Grèce. Cela m'a fait songer aux compliments et aux félicitations, bref aux panégyriques, pour reprendre un terme grec, dont le pays avait été honoré au XIXe siècle à l'occasion de son soulèvement national. J'ai éprouvé le besoin d'entendre Victor Hugo et j'ai téléphoné à Charles qui a rapidement trouvé *L'Enfant grec*. Je ne me souvenais plus très bien de ce poème, que je n'avais jamais lu que dans la version du poète Costis Palamas publiée dans une anthologie destinée à la jeunesse à couverture grise décorée de petites fleurs.

La scène se déroule sur l'île de Chios ravagée par les Turcs et dont le sort a ému Delacroix. Un enfant pleure, assis sur un rocher, au milieu des ruines. Il a de longs cheveux dorés et des yeux bleus, ce qui surprend chez un Grec. Peut-être les Turcs lui ont-ils épargné la vie parce qu'ils l'ont pris pour un étranger ? On comprend sa détresse : il a tout perdu, y compris ses chaussures puisqu'il est pieds nus. Le poète veut à tout prix le consoler. Il lui propose successivement de lui offrir une fleur, un cheval, un oiseau, présents dont il vante les mérites. Mais l'enfant décline ces propositions. C'est déjà la fin du poème : « *Je veux de la poudre et des balles* », dit-il.

Cette lecture a dissipé mon chagrin. J'ai songé à nouveau aux manifestants de la place de la Constitution et au mot « démocratie » suspendu à l'envers. Puis j'ai allumé la télé pour me distraire. Hélas, c'était l'heure du journal : on interviewait une Parisienne d'une soixantaine d'années qui, ne pouvant plus payer son loyer, avait élu domicile dans sa voiture. Le véhicule était rempli jusqu'au plafond d'une multitude de choses, toutes ses affaires apparemment. Elle était à moitié couchée sur la banquette avant, une couverture sur les genoux.

— Cela fait plusieurs nuits que je dors mal à cause du froid, a-t-elle confié au journaliste. Que vais-je devenir quand l'hiver arrivera ?

Un silence a suivi : le journaliste ne savait pas quoi dire et la dame pleurait.

Les demi-dieux et les héros de la mythologie n'avaient pas accès à la remise. Je les retrouvais à l'école et cela me suffisait. Ces personnages qui ont d'innombrables supporters à travers le monde ne sont pas très aimés dans leur propre pays : c'est que l'école grecque possède le pouvoir magique de rendre ennuyeux tout ce qu'elle touche. Elle transforme les personnages en statues, comme Circé métamorphose les hommes en pourceaux.

Achille, Hercule, Jason étaient des statues. Même le turbulent Ulysse était une statue immobile au milieu des flots. Je n'accueillais donc pas les demi-dieux et les héros pour la bonne raison que je ne souhaitais pas que la remise ressemblât à un musée. J'ai peut-être eu tort : je ne doute pas qu'Alice aurait eu mille questions à poser à Ulysse sur les sortilèges de Circé, sur le fruit qui fait perdre la mémoire et sur les déesses qui se déguisent en mouettes, et que Tarzan aurait volontiers questionné Hercule sur ses travaux, en particulier sur la chasse au lion de Némée. L'intrépide et ombrageux Achille aurait reconnu en la personne de Cyrano un digne épigone.

Les anciens Grecs prenaient congé de leur enfance lors d'une cérémonie au cours de laquelle ils allaient déposer leurs jouets au temple. Les jeunes filles se séparaient de leurs poupées – c'étaient généralement des poupées articulées en terre cuite, des espèces de marionnettes – avant leur mariage, en les livrant le plus souvent à Artémis, déesse de la fécondité. Parfois elles offraient aussi une boucle de leurs cheveux, enroulée autour d'un roseau. Les garçons, eux, donnaient leurs ballons et leurs toupies à une divinité masculine, à Hermès par exemple, patron des enfants et des passages. On pense qu'ils faisaient cette offrande vers quatorze ans. C'est l'âge que j'avais quand nous avons déménagé de Callithéa à Néa Philadelphia et que j'ai dû renoncer à fréquenter la remise. Je ne me souviens pas d'avoir dit adieu à mes amis. Peut-être pressentais-je que je les retrouverais sur mon chemin ? Je les ai en effet croisés à plusieurs reprises par la suite. La première fois où j'ai pris le bateau pour venir en France, j'étais aussi exalté que Jim Hawkins lorsqu'il s'embarque sur *L'Hispaniola* et aussi triste que Rémi lorsqu'il quitte la maison où il a grandi. À Lille où j'ai fait mes études, j'ai connu la même solitude qu'Edmond Dantès dans les souterrains du château d'If. Quelques années plus tard, en me présentant au journal *Le Monde* pour proposer mes services, je me suis senti aussi mal à l'aise que d'Artagnan au moment où il affronte M. de Tréville, le capitaine des mousquetaires. Mon Tréville à moi était une femme, elle s'appelait Jacqueline Piatier. Comme les héros de Walter Scott j'ai été plus d'une fois attiré simultanément par une blonde et une brune, mais contrairement à eux, je choisissais généralement la brune qui me rappelait mon pays. Lors de la parution de mon premier livre j'ai éprouvé la fierté du capitaine Nemo plantant son drapeau, marqué d'un *N*, au cœur du pôle Sud. J'avais l'impression que je venais de conquérir un territoire vierge où jamais personne n'avait mis les pieds. Mon drapeau portait la lettre *S*, par allusion au titre de mon roman qui, on ne l'a pas oublié j'espère, était intitulé *Le Sandwich*.

Je parlais quelquefois de ces personnages avec mon frère, puisqu'ils avaient été également ses amis. Aris avait un faible pour les héros corpulents comme Porthos et Sancho Panza, ayant été lui-même assez gros dans sa jeunesse. Nous en parlions en été où nous avions le temps, en observant de la terrasse de sa maison les enfants qui jouaient sur la plage. S'il avait été encore en vie, je lui aurais téléphoné cent fois depuis que j'ai commencé ce récit pour lui demander des précisions sur le caractère de tel ou tel personnage. Je suis à présent obligé de recourir à des encyclopédies, de consulter les œuvres. Si j'ai entrepris de ressusciter tout ce monde c'est peut-être avant tout parce qu'il me rappelle mon frère. J'ai ouvert après tant d'années la porte de la remise de Callithéa pour le retrouver, lui. Je suis en train d'écrire un roman selon son cœur étant donné qu'il se passionnait non seulement pour les « Classiques illustrés », mais aussi pour Guignol et sa bande. Il aurait sûrement pris plus de plaisir que je n'en ai eu à déambuler dans les couloirs du palais du Luxembourg, car il aimait le faste. Il collectionnait les vieux meubles et s'habillait avec une certaine ostentation. Les couleurs voyantes ne lui faisaient pas peur. Il aurait pu devenir comédien, comme notre père, si notre mère ne l'avait incité à embrasser la carrière universitaire. Je songe encore qu'il se serait arrêté davantage que je ne l'ai fait au bord du grand bassin à regarder flotter les voiliers, peut-être même en aurait-il loué un, surtout s'il avait su que ces bateaux ont quatre-vingts ans d'âge : on change régulièrement leurs voiles, on les repeint souvent, ce sont néanmoins ceux-là mêmes utilisés par leur créateur, un certain Clément Paudeau, qui a lancé cette petite affaire en 1927. Aris se souvenait mieux que moi de notre enfance. Il est mort sans avoir vieilli : la vie ne lui en a pas laissé le temps.

J'ai beau me répéter inlassablement qu'il faut dire les choses simplement, j'ai quelquefois du mal. Mes idées s'embrouillent, j'essaie d'en attraper une mais elles se présentent toutes en même temps, ce qui les rend confuses. L'espace blanc qui suit la dernière phrase que j'ai écrite me paraît alors terriblement hostile. Faut-il prendre une autre feuille ? Je suppose qu'il doit bien y en avoir une mieux disposée à mon égard dans la rame de papier qui repose sur la table de nuit, mais comment faire pour la trouver ? Dois-je les examiner toutes, les regarder attentivement une à une comme on lit un livre ? La rame est très épaisse, elle doit compter au moins quatre cents pages. Je ne pourrai pas lire tout cela d'affilée, je ferai sûrement une pause au milieu, à la cent quatre-vingt-neuvième page par exemple, que je serai obligé de corner. C'est à ce moment que le gérant de l'hôtel entrera dans la chambre et s'étonnera de me voir lire des feuilles blanches.

— C'est intéressant ce que vous lisez ? plaisantera-t-il.

— Très intéressant, lui répondrai-je. D'ailleurs je vous passerai la rame quand je l'aurai terminée.

— Mais je peux en acheter une dans n'importe quelle papeterie !

— Vous vous trompez : chaque rame de papier raconte une histoire singulière.

Il n'en reste pas moins vrai qu'en changeant de

quartier j'ai tout de même perdu de vue les amis de mon enfance. Je n'ai pas tardé à les remplacer car je continuais à lire beaucoup, il me faut admettre cependant que ma nouvelle équipe était bien moins brillante que l'ancienne. Elle comptait dans ses rangs des gens mal dans leur peau, inaptes à résoudre leurs problèmes, souvent désargentés, des individus qui suscitaient davantage la pitié que l'admiration. Je dirais même que parfois ils n'avaient pas toute leur tête. J'ai fait leur connaissance par l'intermédiaire de Dostoïevski d'abord, puis d'autres auteurs comme Faulkner et Beckett. Je me suis néanmoins pris d'une vive sympathie pour eux aussi. Ils n'avaient rien d'autre à m'offrir que des questions, or j'avais justement besoin de partager mes doutes. Avais-je le sentiment d'être un étranger dans le monde qui m'entourait ? Nombre de ces marginaux donnaient l'impression de n'être nés nulle part. Je me souviens parfaitement que le prince Mychkine, le personnage central de *L'Idiot*, se sent si peu chez lui dans la société qu'il hésite même à prendre un siège. Une fois assis, il ne sait pas quoi faire de son baluchon, car il porte un baluchon, le bougre : le garder sur ses genoux ? le poser par terre ? Dans l'équipe du jardin de Callithéa les princes n'avaient pas de baluchon. Le seul de mes anciens amis qui pouvait également faire partie des nouveaux était Don Quichotte, le Chevalier à la Triste Figure, qui ressemble par certains côtés, par sa solitude notamment et son idéalisme, au prince Mychkine. Dostoïevski reconnaît discrètement sa dette envers Cervantès : une de ses héroïnes, désireuse de cacher la lettre d'amour qu'elle a reçue du prince, décide finalement de la glisser dans un exemplaire de *Don Quichotte*. J'avais remarqué ce détail car je n'étais nullement habitué à trouver dans les romans que je lisais des allusions aux œuvres d'autres écrivains.

Tous ces personnages aléatoires, fragiles, avaient le mérite de me rendre plus attentif aux gens que je voyais dans la rue, comme à cet unijambiste qui avait une belle béquille en bois. Encouragé par Dostoïevski, je me suis approché de lui un jour et je lui ai demandé :

— Vous êtes très malheureux, monsieur ?

Sa première surprise passée, il m'a répondu :

— Mais pas du tout, jeune homme !

À quatorze ans, donc, je quittais définitivement mon jardin. Les livres que je découvrais avaient une tonalité différente de ceux que je connaissais, je les lisais aussi différemment. Je ne m'identifiais plus aux personnages, je les suivais de loin, ce qui me permettait de les juger. Ainsi, je trouvais que les hommes chez Dostoïevski buvaient beaucoup trop. Comme il n'y avait que très peu d'alcooliques en Grèce, j'attribuais leur intempérance au climat de la Russie que j'imaginais exécrable. Malgré l'affection que j'avais pour le prince Mychkine, son infinie bonté, sa manie de guetter sur tous les visages le sourire de Dieu me hérissaient : je commençais à avoir des doutes sur la religion aussi. Je trouvais que le prince ressemblait bien plus à Jésus-Christ qu'à Don Quichotte qui, si ma mémoire est bonne, ne fréquente pas beaucoup les églises. À mon frère qui me demandait de lui résumer *L'Idiot*, j'avais répondu que c'était un épisode inédit de la vie de Jésus qui se passait chez les alcooliques russes.

Kazantzakis, que je lisais à la même époque, avait moins de compassion pour la misère humaine, il éprouvait néanmoins la même ferveur que Dostoïevski pour le Christ, à qui il avait consacré deux de ses livres, *Le Christ recrucifié* et *La Dernière Tentation*, et manifestait le même goût pour les débats métaphysiques : les deux auteurs ne se lassaient pas de scruter l'invisible. Le mot « âme » faisait partie de leur vocabulaire de base. Ils l'appliquaient à leurs familles respectives, l'un évoquant « l'âme crétoise », l'autre « l'âme russe », expressions totalement obscures à mes yeux et qui me paraissaient tout juste révélatrices d'une sorte de nationalisme parfumé d'encens.

Je supprimais des passages entiers dans les livres que je lisais, je ménageais des vides, sauf dans les textes de Beckett dont la brièveté rendait impossible la moindre coupe. Mes petites tentatives de dénigrement n'étaient pas dépourvues d'arrière-pensées : je jouais des coudes pour dégager mon propre chemin. Je rêvais déjà d'un livre blanc, sans titre, où je pourrais raconter mes propres histoires. J'avais une vingtaine d'années.

Je n'aime pas beaucoup Calliopi, qui est la petite-fille de la sœur de ma grand-mère Irini, et ne la vois guère quand je vais à Athènes, bien qu'elle habite mon quartier. Elle a trop tendance à mon goût à s'immiscer dans la vie des autres, à vouloir la régenter. Elle est persuadée qu'elle possède la clef de tous les problèmes. Elle est toujours là, qu'on ait besoin d'elle ou pas. Comme elle n'est pas très attachante, elle cherche à se rendre indispensable. D'où lui vient son assurance ? Elle n'a pas fait d'études et n'a jamais travaillé. Je suppose qu'elle est à l'étroit dans sa propre vie, qu'elle partage avec un homme plutôt terne, un pharmacien qui est capable de se taire pendant des heures. La seule personne qu'elle admire vraiment, en dehors d'elle-même s'entend, est son fils Constantin : elle doit penser qu'il tient d'elle. Je ne connais que très peu ce garçon, cependant les rares fois où je l'ai vu il ressemblait davantage à son père : il avait l'air songeur et ne disait rien. En outre, il est très grand, comme son papa justement.

C'est au sujet de Constantin que Calliopi m'a appelé : elle m'a appris qu'il est à Paris depuis deux mois et qu'il poursuit ses études d'histoire commencées en Grèce.

— Il écrit ! a-t-elle ajouté avec un accent d'enthousiasme.

— Qu'est-ce qu'il écrit ? ai-je demandé par pure politesse.

— De la poésie !

La poésie a été très en vogue en Grèce jusqu'à

la dernière guerre. Ensuite les poètes se sont assoupis. Ils ont eu un sursaut pendant les sept années de la dictature des colonels mais ce fut leur chant du cygne. Depuis, on n'entend plus parler d'eux. En Grèce comme ailleurs, la poésie a pris sa retraite.

— Il voudrait te soumettre ses tentatives, a poursuivi Calliopi. Tu accepteras de le recevoir, n'est-ce pas ? Dimitris m'a dit que tu t'es très bien sorti de ton accident. Tu as arrêté de fumer, je présume ?

Elle m'a recommandé de voir un hypnotiseur :

— Il t'aidera à surmonter le choc psychologique que tu as reçu, à te détacher de toi-même. Tu te sentiras léger comme un oiseau.

J'ai eu aussi son fils au téléphone : je pensais le recevoir à l'hôtel, mais au dernier moment je me suis souvenu que Lucien de Rubempré choisit le Luxembourg pour faire la lecture de ses poésies à son ami journaliste, et je lui ai donné rendez-vous à l'entrée du jardin qui fait face à la rue de Fleurus. « J'espère qu'il n'écrit pas des sonnets », ai-je pensé en apercevant de loin sa maigre silhouette. Il était vêtu tout en noir et tenait un mince dossier vert. Il m'a tendu la main comme s'il n'avait pas vu que je portais des béquilles et que je ne pouvais pas lui donner la mienne. Il avait un visage anguleux et pâle et portait des lunettes d'un autre temps, à grosse monture noire. Ses chaussures à bout pointu étaient au contraire au goût du jour. J'ai eu beau insister, je n'ai pas réussi à le convaincre de me tutoyer.

— Ça m'est impossible : j'ai lu tous vos livres !

— Même *Le Sandwich* ? n'ai-je pu m'empêcher de questionner.

— J'en ai trouvé un exemplaire chez un bouquiniste qui devait provenir de votre service de presse car il était dédicacé. On avait pris soin de raturer la dédicace, cependant j'ai déchiffré le nom du destinataire : c'était une femme, Annie Fargeau.

J'ai été très déçu en découvrant qu'Annie, qui travaillait à l'époque aux *Nouvelles littéraires,* avait vendu mon bouquin.

— J'apprécie le fait qu'on apprend beaucoup de choses en vous lisant. Dans *Le Sandwich*, par exemple, au moment où le moine Gaspard traverse la place de la Concorde, vous notez qu'elle s'étend sur quatre-vingt-quatre mille mètres carrés.

« Voilà tout ce qui restera de mes livres, quelques renseignements sans grande valeur qu'on peut aussi bien trouver ailleurs. » La terre était trempée. J'ai vu une mouette en train de se livrer au manège décrit par Ricardo pour faire sortir les vers de leur trou. J'ai essayé en vain de me rappeler quel était le rôle du moine Gaspard dans mon roman.

Nous sommes passés derrière le rucher, qui se présente comme un kiosque à musique entouré de meubles à tiroirs coiffés d'un chapeau chinois. Les abeilles logent dans les tiroirs. Nous nous sommes arrêtés à mi-chemin de cette voie paisible, qui conduit à la pépinière, et nous avons pris place sur un banc entre deux tilleuls comme dans le roman de Balzac.

L'excitation du jeune homme était à son comble. En ouvrant le dossier il a fait tomber une feuille par terre, qui s'est couchée sur son verso où rien n'était écrit. Constantin a entrepris néanmoins d'effacer les traces de boue qui la maculaient, d'abord en les essuyant de sa main, puis, comme elles ne disparaissaient pas complètement, en usant d'une gomme à crayon qu'il a prise dans sa poche. Sa volonté de restituer à la page sa pureté première trahissait l'importance qu'il attachait au poème qui figurait de l'autre côté et qui était écrit à la main. Cela s'appelait *Le Bateau des morts*, j'ai lu le titre du coin de l'œil.

— Je peux commencer ?

— Bien sûr.

À l'issue de notre rencontre il m'a remis des photocopies de certains de ses poèmes. Je peux donc les citer fidèlement, en les traduisant toutefois car ils sont composés en grec :

> *L'odeur des morts*
> *se répand épaisse*
> *à la surface de l'océan*
> *bien avant que n'apparaissent*
> *les bateaux des morts.*
> *Elle atteint la plage*
> *qu'elle recouvre*
> *d'une sorte de boue.*
> *Le temps s'est arrêté depuis longtemps*
> *quand pointent enfin à l'horizon*

> *les bateaux des morts*
> *et que l'on perçoit leur musique.*

Il ne m'a pas regardé en achevant sa lecture comme je m'y attendais, il est resté parfaitement immobile penché sur son manuscrit : on aurait dit un condamné assis à côté de son bourreau.

— C'est bien, ai-je articulé faiblement, car je n'arrivais pas à me forger si vite une opinion.

Le deuxième poème était intitulé *Le Congrès des morts* :

> *Le congrès général des morts*
> *a eu lieu le 3 septembre de cette année.*
> *À huit heures du matin*
> *ils étaient tous là,*
> *sauf un qui s'était excusé.*
> *Le président de l'assemblée*
> *se leva et dit : « Camarades ! »*
> *À la fin de son discours*
> *l'auditoire a applaudi vivement,*
> *le président avait raison,*
> *il fallait tout reprendre à zéro.*

Pendant qu'il lisait je me suis souvenu d'une fin de journée à Lille où ma chambre avait été envahie par la lumière dorée du soleil couchant. J'écrivais aussi des poèmes à l'époque. Étais-je obsédé par la mort comme Constantin ? Je me suis souvenu d'une femme qui m'avait fait souffrir le martyre. Le troisième poème portait justement le nom d'une femme : *Véronique*. J'ai pensé aux trois liaisons que j'avais eues quand j'étais étudiant et je me suis rendu compte que je n'avais retenu que le nom de la femme qui m'avait tourmenté.

> *Je t'ai appelée et mon père,*
> *monté sur une échelle,*
> *a haussé les épaules.*
> *Je t'ai appelée une seconde fois*
> *et mon père a disparu.*
> *Alors j'ai appelé mon père,*
> *qui m'a apporté un verre d'eau.*
> *Depuis, je bois de l'eau tous les jours.*

Comment réagit le journaliste à la lecture des sonnets de Lucien ? Je crois qu'il les apprécie, il prévient toutefois le poète qu'il aura du mal à les publier et à les faire connaître, que la notoriété s'acquiert au prix de beaucoup de compromissions, que le milieu littéraire parisien ne reconnaît du talent qu'à ceux qui le flattent. Selon sa théorie, le talent constitue plutôt un inconvénient dans la mesure où il suscite des jalousies. En somme, il décourage Lucien tout en faisant son éloge. Constantin avait enfin tourné le visage de mon côté.

— C'est bien, ai-je répété en m'efforçant de mettre un peu de conviction dans ma voix.

— Vous les aimez vraiment ?

Il a enlevé ses lunettes et caché son visage dans ses mains. Pleurait-il ? Je n'avais toujours pas d'avis sur sa poésie, j'estime cependant qu'on ne peut pas décourager quelqu'un qui écrit.

— Il y a un certain humour..., ai-je risqué.

Il m'a regardé à nouveau : il était atterré.

— De l'humour ? Mais j'en suis totalement dépourvu ! C'est même ce qui me désespère le plus !

J'ai été tiré de mon embarras par M. Jean et Elvire qui ont fait leur apparition du côté du théâtre des marionnettes. Je n'ai pas eu besoin de les héler car ils nous ont vus et se sont aussitôt dirigés vers nous en coupant au travers d'une pelouse et d'un massif d'arbustes.

— Tu ne trouves pas qu'il ressemble à Victor Hugo ? ai-je demandé à Constantin alors qu'ils arrivaient.

Il ne m'a pas répondu : il ne regardait pas l'homme mais la jeune fille. Elle portait un imperméable vert amande serré à la taille par une large ceinture et un béret noir qui lui allait, comme on dit, à ravir. Nous nous étions levés pour les accueillir. J'ai fait les présentations, j'ai eu l'impression que Constantin n'a entendu que le nom d'Elvire.

— Je vous cherchais ! m'a dit M. Jean. Je suis en mesure de vous donner la position du jardin sur la surface terrestre. Eh bien, il est situé par 2° 20' de longitude est et 47° 57' de latitude nord !

Il m'a remis un carton où il avait écrit ces coordonnées et deux invitations pour la célébration du quatre centième anniversaire du jardin.

— On m'a demandé de prononcer un discours, de faire le résumé de quatre cents ans d'histoire en dix minutes !

J'ai cru comprendre que cette commande l'avait en fait réjoui. Il était, en tout cas, d'excellente humeur. Constantin fixait toujours Elvire qui se tenait un peu à l'écart, les paupières baissées comme à son habitude. Je me suis rappelé que Marius tombe amoureux de Cosette à l'instant même où pour la première fois elle lève les yeux vers lui.

— Et qu'est-ce que vous faites dans la vie, Constantin ? a interrogé M. Jean.

« Il n'est nullement jaloux d'Elvire, ai-je pensé. Il a hâte au contraire qu'elle trouve un compagnon et qu'elle le laisse mener ce qui lui reste de vie comme il l'entend. »

— J'étudie l'histoire, a dit Constantin en espérant davantage une réaction d'elle que de lui.

— Il est aussi poète, ai-je cru bon d'ajouter.

— Ce sont vos poésies ?

Il se tenait à côté du banc où le dossier était resté ouvert.

— Mais c'est du grec ! s'est-il exclamé. Tenez, traduisez-nous cela, ce sera une heureuse façon de clore notre promenade, tu ne trouves pas, Elvire ?

Alors elle a levé les yeux : Hugo a raison, l'amour n'a rien de plus beau à offrir que ce premier regard.

— Oui, mon oncle.

Son intonation était plutôt basse : on aurait dit que sa voix avait mûri plus vite qu'elle. Constantin, rouge jusqu'aux oreilles, s'est emparé de la première feuille.

— Cela s'intitule « Découverte du désert », nous a-t-il prévenus.

Je dois admettre qu'il a traduit assez habilement son texte, qui tenait en trois lignes :

Les voyageurs qui devaient partir sont partis.
Ceux qui devaient arriver sont encore loin.
Je peux maintenant profiter du désert.

Elvire lui a fait un cadeau inespéré : elle a tapé dans ses mains.

— C'est bien, a dit M. Jean comme je l'avais fait.

Peu après ils ont repris leur chemin. Nous sommes restés silencieux un moment, Constantin et moi. Puis je lui ai tenu à peu de chose près le même discours que le journaliste adresse à Lucien. Je lui ai rappelé que la poésie n'est plus publiée en Grèce qu'à compte d'auteur. Je lui ai confié que j'avais eu énormément de mal à trouver un éditeur pour *Le Sandwich*.

Je me suis souvenu de ma première entrevue avec Jean-Marc, qui a publié tous mes livres. Il venait de lire le manuscrit du *Sandwich*. Il m'avait fait juste cette remarque :

— Est-ce que ça vous paraît indispensable de toujours indiquer la longueur des avenues et la superficie des places que vous mentionnez ?

M'écoutait-il ? Son regard errait dans le parc à la recherche d'un imperméable vert amande et d'un béret noir. Au bout d'un temps qui m'a paru assez long, il a murmuré entre ses dents :

— Je réussirai.

Lucien dit : « *Je triompherai* », me semble-t-il. J'ai donné une des deux invitations pour la garden-party à Constantin.

— Elle y sera sûrement, lui ai-je dit.

9

La chambre que j'occupe à l'hôtel Perreyve se trouve au cinquième étage, comme mon studio de la rue Juge, et porte le numéro 52. Ce matin, en ouvrant les yeux, j'ai eu la surprise de trouver un gros lapin, aussi gros que la femme qui m'apporte le petit déjeuner, au pied de mon lit.

— Dépêchez-vous, m'a-t-il dit, la reine n'aime pas attendre. Elle serait capable de nous couper la tête si nous ne nous présentions pas devant elle à l'heure qu'elle nous a fixée.

— Mais je ne peux pas faire vite, ai-je protesté. Mes plaies ne se sont pas encore refermées complètement. Il me faut une demi-heure pour prendre une douche et vingt minutes pour me coiffer.

— Vingt minutes pour vous coiffer ? a-t-il protesté. Vous avez très peu de cheveux pourtant.

— C'est que je n'ai pas de peigne. Je suis obligé d'arranger mes cheveux avec la main. Je passe mes doigts dans mes cheveux, si vous voyez ce que je veux dire.

— Vous êtes extrêmement bavard. Notez que

je le savais : plusieurs personnes m'avaient mis en garde contre vos bavardages, notamment la dame qui est préposée aux toilettes du jardin du Luxembourg. « Une fois qu'on l'a lancé sur un sujet, m'a-t-elle dit, on ne peut plus l'arrêter. »

— Cela s'appelle une dame-pipi. Essayez de vous exprimer simplement, sinon nous ne parviendrons pas à nous entendre. Je suis un étranger, le français n'est pas ma langue maternelle, je suis né à Athènes dans le quartier de Callithéa, notre maison possédait un jardin, c'est là que nous avons fait connaissance, je me rappelle que je vous ai donné une bonne carotte car vous aviez très faim, vous devriez être plus gentil avec moi étant donné que nous nous connaissons depuis si longtemps.

— Taisez-vous à la fin ! Et puis cessez de grandir ! Vous avez pris au moins cinquante centimètres depuis que je suis ici. Si ça continue, vous ne pourrez plus passer par la porte !

— Est-ce que mes béquilles grandissent aussi ?

Il les a regardées, elles reposaient sur le radiateur.

— Je ne peux pas vous répondre avec certitude, étant donné que je les vois pour la première fois. Elles me paraissent en tout cas un peu grandes pour des béquilles, c'est tout ce que je peux affirmer.

— Vous ne m'avez toujours pas dit quel est le sujet.

— Le sujet ?

— Oui, le sujet, ai-je insisté. Vous venez de

déclarer que je suis intarissable, etc., vous vous souvenez, n'est-ce pas ? J'ai donc le droit de vous demander quel est le sujet.

— Il n'y a pas d'autre sujet que notre rendez-vous avec la reine, que nous sommes en train de rater d'ailleurs. Elle ne sera pas contente du tout, je vous aurai prévenu. Elle nous tirera les oreilles. Je vous signale que les lapins souffrent bien plus que les hommes quand on leur tire les oreilles.

— Vous avez dit qu'elle allait nous couper la tête.

— Elle nous tirera d'abord les oreilles.

J'ai estimé qu'il fallait mettre un terme à cette conversation. S'il m'arrive d'être intarissable, je sais cependant quand une conversation atteint ses limites. J'ai retiré la couverture pour lui montrer mes plaies.

— Elles sont encore rouges, voyez-vous ? Je n'ose pas mettre la main dessus, je me contente de les regarder. Les petits points noirs qui les enca-drent sont des traces laissées par les agrafes qu'une infirmière m'a enlevées. J'ai énormément crié pendant cette intervention.

— Je sais, il paraît qu'on vous a entendu jus-qu'à la gare Montparnasse malgré le bruit que font les trains, surtout quand ils s'arrêtent. Je me demande si le verbe « encadrer » rend bien compte de la disposition des points noirs le long de vos lésions.

— Peut-être pas. Mais nous n'avons pas le temps de chercher le mot juste dans le diction-naire. Où habite la reine ?

— Juste à côté, dans la chambre 51 ou 53, je ne sais plus très bien.

— Elle est malade, elle aussi ?

Le lapin a ri. Ses dents de devant qui étaient déjà bien visibles m'ont paru démesurées.

— La reine n'est jamais malade ! a-t-il déclaré avec hauteur. Je vois que vous ne portez pas de slip. Ce n'est pas bien, je vous le dis comme je le pense, ce n'est pas bien du tout.

— Vous n'êtes pas obligé de le dire à la reine.

— Je ne peux rien lui cacher, hélas ! Elle lit dans mes pensées. Elle lit dans les pensées de tous ses sujets. C'est normal, puisqu'elle est la reine.

— Laissez-moi au moins prendre mon petit déjeuner tranquillement.

Au moment où la femme de chambre entrait dans la pièce chargée du plateau du petit déjeuner, le lapin reprenait une taille normale et se glissait sous le lit. Sur le plateau il y avait un pot de confiture portant sur une étiquette les mots CONFITURE D'ORANGES et qui était complètement vide. Je n'ai pas protesté car j'ai supposé que c'était la reine qui avait tout mangé.

Je croyais que je ne verrais plus le lapin. Or, à peine avais-je terminé mes tartines et bu mon café qu'il se manifestait de nouveau pour me parler encore de la reine.

— Elle aime bien que ses visiteurs lui chantent quelque chose. À mon avis, la meilleure façon de gagner ses faveurs est de lui chanter un air de votre pays. Elle adore la musique folklorique.

— Je chante faux ! ai-je objecté. Ma voix produit autre chose que de la musique, elle s'écarte résolument de la mélodie, elle donne un air de nouveauté aux chansons les plus connues. Mon frère se moquait de moi quand nous étions enfants, il riait aux larmes quand j'essayais de chanter, mais cela ne me décourageait qu'à moitié car j'aimais bien le voir rire. Il ne riait pas souvent.

— Vous me parlerez de votre frère une autre fois.

Il a tiré une montre de la poche de son gilet.

— Mon Dieu, je n'ai jamais été autant en retard à un rendez-vous avec la reine, a-t-il grogné.

— Quand j'étais enfant, ai-je poursuivi sans tenir compte de ses récriminations, je rêvais souvent que l'humanité avait été anéantie, que j'étais le dernier survivant de l'espèce humaine et qu'il m'appartenait par conséquent d'expliquer aux extraterrestres ce qu'était la musique. Je faisais plusieurs essais, mais comme ils ne comprenaient pas je finissais toujours par me rabattre sur l'air que je trahissais le moins, celui de l'hymne national grec.

— Eh bien, vous n'aurez qu'à chanter à la reine votre hymne national. Je pense qu'il fera l'affaire.

Il n'est plus bruit dans tout Paris que de la fête. J'ai vu plusieurs reportages à la télévision sur les travaux d'aménagement de l'espace devant le Sénat, jusqu'au grand bassin. On y installera donc un chapiteau géant, capable de contenir les cinq mille convives et la fanfare de Picardie qui animera la soirée sous la direction du célèbre chef chinois Zhang Yue-an. Si le temps le permet, on dansera à l'extérieur, autour du bassin, où la terre sera couverte de plaques en acier inoxydable poli. Le chef de l'État et son épouse, la chanteuse Carla Bruni, assisteront aux réjouissances – certains journalistes assurent même que Mme Bruni-Sarkozy chantera une chanson évoquant les grandes figures qui ont hanté le jardin, de Marie de Médicis à Lénine –, ainsi que des délégations venues de vingt-sept pays, dont la Grèce. La reine d'Angleterre se fera représenter par lord Glenarvan, l'arrière-petit-fils du fameux personnage qui aida les enfants du capitaine Grant à retrouver leur père. Les soixante espèces d'orchidées cultivées dans les serres du jardin seront à l'honneur : elles feront l'objet d'une double exposition, à la fois sur les tables et dans les vasques de pierre qui égaient les balustres. On pourra admirer la *Lycaste skinneri*, la *Peristeria elata*, la *Schomburgkia superbiens*, entre autres. Selon le service de presse, les invités doivent s'attendre à des surprises. Quelles surprises ? Assisteront-ils à une exhibition du corps de ballet du maharaja du Pendjab ? à une course d'éléphants ? Verront-ils descendre du ciel une montgolfière portant dans sa nacelle Miss Univers ? Georgette et Odile ont obtenu l'autorisation de faire une démonstration de leur art pendant le dîner. Elles utiliseront pour cette occasion des marionnettes à taille humaine qu'elles manipuleront à vue sur une simple estrade. Le menu comprendra certains des plats proposés par la duchesse de Berry à ses invités : on mangera du pâté de bécasse sauce aux truffes, de la queue de mouton braisée au parmesan, des soles au lard avec ris de veau et crêtes de coq ainsi que des faisans, les uns truffés à l'essence de jambon et au jus d'orange, les autres au jus de carpe. Seule ombre au tableau, les sénateurs socialistes ont décidé de boycotter la fête, qu'ils jugent beaucoup trop coûteuse, eu égard à l'état des finances publiques et des conditions de vie d'une large partie de la population. Ils rappellent dans un communiqué que la dette de la France augmente de douze millions d'euros par heure et que près de huit millions de personnes vivent en dessous du seuil de pauvreté. Le président du Sénat a réagi vertement, en traitant les socialistes d'esprits chagrins et en les accusant de populisme de bas étage. Il a précisé que les excédents de nourriture seront distribués aux pauvres du quartier et a néanmoins retiré du menu la bécasse braisée aux huîtres et le cochon de lait aux saucisses.

Les travaux en cours sont masqués par des palissades de planches au milieu desquelles se dresse une grue plus haute que les arbres. Elle est au centre d'un incessant va-et-vient de semi-remorques, de bennes, de bulldozers, de chariots élévateurs qui entrent dans le jardin par le portail de la rue de Vaugirard. Une voiture de pompiers est stationnée en permanence devant la fontaine Médicis. Marie-Paule est exaspérée par les ouvriers qui utilisent son local : ils refusent d'éteindre leurs cigarettes, jettent par terre le papier hygiénique, oublient de fermer les robinets et manquent de monnaie au moment de payer.

— Vous ne trouvez pas que les ouvriers français sont particulièrement mal élevés ? me questionne-t-elle. En plus ils parlent fort comme s'ils étaient tous durs d'oreille. Je suis sûre que les ouvriers anglais connaissent mieux les bonnes manières et qu'ils ne gueulent pas. De toute façon, la langue anglaise ne permet pas de gueuler.

Elle me reproche soudain de ne pas lui avoir apporté un de mes livres comme je le lui avais promis.

— Ce n'est pas bien de ne pas tenir vos promesses, monsieur Vassilis, me dit-elle. Je n'ai pas beaucoup d'instruction, mais je sais lire, vous savez. J'écris même, de temps en temps. J'écris avec d'autres dans un espace géré par une petite association, les Compagnons de la nuit, dont le premier président a été l'abbé Pierre et dont le siège est au 15 de la rue Gay-Lussac, de l'autre côté du jardin.

Elle est interrompue par une vieille dame qui arrive avec une petite fille, puis par trois ouvriers en combinaison blanche, coiffés de casques jaunes. Je regarde une fois de plus la naissance de ses seins et son médaillon qui a la patine du vieil or.

— Cette association se consacre aux gens qui sont à la rue, mais ne répond qu'à un seul de leurs besoins, elle leur offre la possibilité de parler. Il semble que le contact avec la langue se perd très facilement, qu'il suffit de rester muet pendant un mois ou deux pour ne plus pouvoir composer de phrases. Les Compagnons, qui ne sont qu'une dizaine, commencent à travailler en fin de journée, car c'est le moment où le désir de communiquer est particulièrement intense, chez les clochards comme chez les bourgeois. Le jeudi ils organisent en plus des séances d'écriture. Les personnes qui se retrouvent rue Gay-Lussac ne sont pas forcément des SDF, c'est un lieu ouvert à tout le monde, un rendez-vous de toutes sortes de solitudes. Certains assistent à ces réunions sans écrire, ils se contentent d'observer les autres, ou bien ils s'endorment dans un coin.

— Qu'est-ce que vous écrivez ? me suis-je étonné.

— Ce qui nous passe par la tête, voyons, autour d'un thème proposé par les animateurs. Nous disposons de deux heures environ, après quoi nous nous mettons tous en rond et nous lisons nos textes à haute voix. Il paraît qu'un éditeur a manifesté de l'intérêt pour notre production, qu'il va en publier un échantillon.

J'ai d'abord pensé que j'aurais du mal à écrire en présence d'autres personnes, puis je me suis dit que je les oublierais fatalement en écrivant. Je n'ai jamais envisagé l'écriture comme un jeu de société. Je suis plutôt préoccupé quand je me mets au travail. Je dois avoir alors l'expression qu'arborait le chirurgien d'Aix quand il m'a annoncé qu'il allait m'opérer. Le local de la rue Gay-

Lussac s'appelle « La Moquette » tout simplement parce que ses familiers aiment bien s'asseoir par terre et qu'il y a une moquette. Marie-Paule a admis qu'elle avait fait sa découverte par l'intermédiaire d'un SDF de ses relations, qui habite le quartier.

— Vous l'avez peut-être déjà croisé rue de Fleurus.

— S'il est accoutré comme Robinson Crusoé, je le connais.

— C'est lui ! Il s'appelle Gaspard, mais je ne suis pas sûre que ce soit son vrai nom. En argot, on appelle « gaspard » un rat. On lui a peut-être attribué ce sobriquet pour le taquiner.

Un des ouvriers se présente devant nous, tenant à la main une poignée cylindrique en porcelaine attachée à un bout de chaîne.

— Qu'est-ce que vous avez encore fait ? soupire Marie-Paule.

— Ce n'est rien, j'ai juste cassé la chaîne de la chasse d'eau. Je vais vous réparer ça vite fait, si vous avez une pince. Il faut quand même vous dire que vos chiottes méritent d'être classées monument historique ! Votre chasse d'eau date du Déluge, probablement ?

Sa mine hilare dissipe l'air renfrogné de Marie-Paule. Je profite de l'incident pour prendre l'air. J'ai du mal à monter l'escalier qui conduit au jardin, mais j'y arrive. De la même façon j'arriverai un jour à escalader les étages de la rue Juge. Je ressens parfois si intensément le besoin de fumer que, même en fumant, je ne parviens pas à le satisfaire. Mes premières promenades dans le Luxembourg me reviennent à l'esprit, je me souviens de la tristesse qui m'accablait alors. Je ne peux pas nier que mon existence a retrouvé quelques couleurs : je pense au rose des joues de Guignol, au rouge du bonnet d'Aristote peint par Delacroix, aux reflets émeraude des yeux d'une aventurière, au vert pâle des nervures d'une feuille morte, au jaune de la fleur que portait Ricardo à sa boutonnière, au plumage multicolore d'un perroquet aperçu en compagnie de divers personnages, de Robinson Crusoé, de Long John Silver et de Mme Hortense, la maîtresse vieillissante d'Alexis Zorbas. Le jardin, lui, est devenu plus maussade pendant la même période. Il attire bien moins de monde, à tel point que le propriétaire des poneys et le loueur de bateaux ont pris leur congé annuel. C'est dire que le grand bassin a perdu de son charme, d'autant plus que les canards ne sortent que rarement de leur maisonnette. Il n'y a plus de fleurs dans les parterres, qui s'apprêtent à passer l'hiver sous une couche épaisse de terreau noirâtre. La fête aura lieu au milieu d'une désolation.

Le calme est revenu dans les toilettes. Je suis presque certain que j'aurai l'occasion de voir les seins de Marie-Paule avant la fin de ce récit. Je feins de m'intéresser à son médaillon.

— C'est un cadeau ?

— Oui et non. Je l'ai depuis ma naissance. Je suis une enfant trouvée.

Elle attend que sa confidence m'atteigne au

plus profond, ensuite elle ajoute sur un ton plus léger :

— Savez-vous où j'ai été abandonnée ? Dans ce jardin, à cent mètres d'ici, à l'endroit où se trouve aujourd'hui le terrain de basket, au pied d'un arbre qui a été abattu depuis.

Quel est donc le personnage de roman qui parvient à éclaircir le mystère de ses origines grâce à un médaillon ?

— Je serais probablement morte de froid si le chef des gardiens, un brave homme nommé Auguste Vauquelin, ne m'avait entendue crier. J'étais bien emmaillotée paraît-il, enveloppée dans plusieurs couvertures, il faisait néanmoins très froid, c'était un mois de février. On ne peut pas rêver d'un lieu de naissance plus beau que ce jardin, vous ne pensez pas ? Comme ils n'avaient pas d'enfant, Auguste et sa femme Séverine m'ont adoptée. Je m'appelle Vauquelin, mais j'ai su de bonne heure que je n'étais pas leur fille. Ils m'ont toujours dit la vérité, Séverine était d'ailleurs convaincue que ma véritable mère se manifesterait un jour. Elle l'a peut-être fait.

J'avais le même plaisir à l'écouter que je prenais enfant aux récits que me faisait ma mère. Je l'interrompais souvent pour lui réclamer des explications supplémentaires.

— Comment cela ? ai-je demandé à Marie-Paule.

— Une nuit il y a dix ans j'ai reçu dans mon studio rue Notre-Dame-des-Champs la visite d'une femme qui m'a embrassée sur le front. Son baiser m'a réveillée, je l'ai vue s'éloigner, sa silhouette m'a paru familière, mais ce n'était pas Séverine, bien sûr. Comment s'était-elle procuré mes clefs ? Elle a disparu sans me laisser le temps de lui parler, ni d'allumer la lumière. J'ai pensé que c'était ma mère et qu'elle était venue me saluer parce qu'elle savait qu'elle allait mourir.

Je suis sûr qu'elle n'a pas inventé cette visite. Peut-être l'a-t-elle rêvée ? Elle anticipe ma question :

— Non, je n'ai pas rêvé, dit-elle. Je l'ai bien vue cette femme, mais je n'ai jamais su qui elle était ni même à qui elle ressemblait. Un autre mystère me préoccupe : pourquoi m'a-t-on déposée dans ce jardin au lieu de me laisser devant un commissariat comme c'est l'habitude ? Vous qui êtes romancier, vous devriez pouvoir résoudre cette énigme.

Hélas, aucune idée ne me vient à l'esprit.

— Normalement, dis-je, votre médaillon devrait renfermer la photo de vos parents.

— Ce n'est pas le cas. Quand j'étais petite, je me passionnais pour les romans qui mettaient en scène des enfants abandonnés ou volés. C'était un vêtement le plus souvent, pas un médaillon, qui leur permettait d'être reconnus par leurs géniteurs. Rémi retrouve sa mère, Mme Milligan, grâce à la pelisse en cachemire qu'il portait bébé et que sa mère adoptive a eu l'heureuse idée de conserver.

— Je ne me souvenais pas que la mère de Rémi était anglaise.

— Les vols d'enfants sont presque aussi cou-
rants en Angleterre qu'en France, m'assure-t-elle.
Dans *Notre-Dame de Paris*, c'est une paire de petits
souliers brodés qui sert à établir le lien entre
Esméralda et sa mère. Leurs retrouvailles sont
terriblement émouvantes car elles ont lieu quelques instants avant que la jeune fille, accusée de
sorcellerie, ne soit pendue. J'ai tant pleuré en
lisant cette scène que je me suis demandé par la
suite si elle n'était pas un peu forcée.

Je lui suggère qu'elle devrait écrire son histoire,
ce qui évidemment n'est pas une bonne idée.

— Quelle histoire ? Je n'en ai pas. En aurai-je
une un jour ? Je crois que j'ai passé l'âge où on
peut encore espérer connaître sa famille : j'ai eu
cinquante ans cette année. Séverine est morte il
y a deux ans : elle devait avoir, à peu de chose
près, l'âge de ma mère. Pauvre Séverine... Elle a
passé la plus grande partie de sa vie dans ce local.
Je lui ai succédé en 1987. Vous voyez bien qu'il
n'y a pas d'histoire. Mon grand regret est de ne
pas avoir voyagé. J'ai cinquante ans et je ne
connais pas le monde. Je n'ai parcouru que les
cent mètres qui séparent ce lieu de l'endroit où on
m'a trouvée.

Pendant cette conversation une bonne vingtaine de personnes sont descendues dans les
toilettes. Je ne me suis souvenu du personnage de
roman qui porte un médaillon qu'en montant
une nouvelle fois l'escalier : il s'agit de Tarzan.
Son médaillon recèle en effet l'image de lord
Greystoke et de lady Alice. Mais je n'ai pas jugé

nécessaire de redescendre les marches pour en informer Marie-Paule.

La porte du théâtre de marionnettes est ouverte, il n'y a personne cependant au guichet, ni dans la salle qui est éclairée seulement par deux appliques fixées sur les murs latéraux. Le rideau rouge du castelet est fermé. Je m'assois sur un banc du dernier rang. Le silence qui règne n'est pas celui d'une pièce ordinaire vide, c'est un silence qui a quelque chose à dire, significatif. Il doit être semblable à celui qui suit une bataille.

Je pose mes pieds sur le banc de devant et je me plie en deux en essayant de rapprocher le plus possible mon visage de mes genoux. Je m'applique à répéter ce mouvement plusieurs fois, comme s'il faisait partie des exercices recommandés par la kinésithérapeute. Puis je ramène mes jambes sur le banc où je suis assis et je me couche sur le côté. Suis-je réellement en possession d'un renseignement susceptible de me mettre sur la piste de la femme qui a rendu visite à Marie-Paule une nuit ? Le métier de détective ne m'a jamais séduit. Je ne prenais du plaisir à lire des romans policiers que jusqu'au milieu de l'histoire. Je trouvais que l'intrigue se compliquait exagérément dans la seconde partie. L'idée que tout le monde pouvait être coupable me paraissait fausse. J'ai tout de même envisagé, quand j'avais une trentaine d'années, d'acheter un imperméable de détective privé, mais je n'en ai pas trouvé qui me satisfasse pleinement. « On a déposé Marie-Paule dans le jardin pour la mettre sous la protection des sénateurs. »

Je rêve rarement et mes rêves sont plutôt paisibles. Je fais des rêves où il ne se passe pas grand-chose, ennuyeux, qui ne me réveillent même pas. Ils ressemblent à ma vie qui me donne plutôt envie de dormir. Ils me transportent régulièrement à la terrasse d'un café sur la place d'un village, où quelques habitués solitaires qui ont mon âge tentent en vain de rassembler leurs idées. Je rêve de gens qui se taisent. Au bout d'un long moment pouvant durer jusqu'à la fin du jour, l'un d'eux évoque le cas d'un parent à lui qui a pété quelques instants après son décès. Des semaines plus tard, un autre se demande pour quelle raison les hommes préhistoriques laissaient l'empreinte de leurs mains sur les parois des grottes. Ils ont les yeux fixés sur la place où il n'y a pas de voitures, seulement un âne attaché à un oranger amer et, juste devant lui, un petit chien. Les deux animaux se regardent, comme intrigués par leur différence de taille. Certains clients finissent par se lasser de ce modeste spectacle et déplient leur journal. On ne lit que de vieux journaux dans mes rêves.

Je me dis que le lieu où je me trouve doit être propice à des songes plus animés. Malheureusement, je ne parviens pas à m'endormir, le banc est trop étroit, la crainte de tomber m'interdit de me détendre. Je garde les yeux fixés sur le rideau qui me rappelle mon père : je le vois légèrement courbé, le visage enfoui dans les plis du velours, en train d'épier les spectateurs qui remplissaient peu à peu la salle. Je suppose que chaque nouvelle arrivée devait faire monter d'un cran son excitation. Il portait déjà son costume de scène. Je l'ai vu revêtir tant de tenues différentes que parfois j'avais l'impression d'avoir plusieurs pères. J'étais un peu le fils de tous les personnages qu'il incarnait. Même maintenant, quand je pense à lui, il se déguise encore. Si je ne m'intéressais pas davantage à son théâtre, c'est probablement parce que j'avais le mien. Le jardin de Callithéa était en effet une sorte de scène et la remise un genre de loge. Nous jouions tous les deux, mais pas aux mêmes endroits. Je préférais nettement les jeunes aventuriers qui composaient ma bande à Hamlet et Caligula, au bourgeois gentilhomme et à maître Puntila. Les personnages de théâtre tenaient des discours trop longs à mon goût. Et puis on ne choisit pas ses amis parmi ceux de ses parents. Ni ma mère qui adorait le roman, ni mon père qui ne vivait que pour le théâtre n'avaient l'air de savoir où se trouve la frontière entre le monde réel et le monde imaginaire, ni même s'il en existe une. Je ne rêve pas beaucoup la nuit peut-être parce que j'ai pris de bonne heure l'habitude de rêver le jour.

Il me semble que le rideau a bougé. « Guignol regarde la salle comme le faisait mon père », pensé-je. Il doit être déçu car je suis l'unique spectateur. Je me mets en position assise pour me rendre plus visible. Des pas résonnent derrière moi : enfin une femme arrive et prend place à mes côtés. Sa présence me donne le vertige car elle me fait découvrir le vide qui se trouve sous mes pieds.

— Je ne sais pas ce que je serais devenu sans vous, lui déclaré-je d'emblée.

— Vous ne trouvez pas que vous allez un peu vite ? dit-elle sur un ton enjoué.

Sa voix me fait songer au chant des sirènes auquel Ulysse ne parvient à résister qu'attaché au mât de son navire. Ses marins, eux, se bouchent les oreilles avec de la cire d'abeille. Mais je n'ai pour ma part aucune envie de résister.

— Vous n'allez pas me faire souffrir ?

Elle a une chevelure abondante châtain clair qui tombe en boucles sur ses épaules et porte une tunique blanche comme le faisaient couramment les femmes de mon pays il y a longtemps.

— Vous n'avez rien à craindre, dit-elle.

Elle tourne son visage vers moi : elle a une figure bien étrange, à peine esquissée, un trait au crayon marque son nez et ses yeux ne sont que deux points noirs. Sa bouche, en revanche, est mieux dessinée.

— Vous êtes déçu ?

Oui, bien sûr, mais je ne veux pas l'admettre, je ne veux pas non plus lui mentir, je me donne quelques instants pour m'habituer à l'extrême fragilité de ce visage que quelques coups de gomme pourraient effacer complètement. Pour me libérer des sentiments qui m'agitent, et parce qu'il faut bien répondre à sa question, je m'approche d'elle et lui donne un baiser sur la joue.

Elle accueille mon initiative avec une satisfaction évidente.

— On est comme on est, n'est-ce pas ? dit-elle.

— On est comme on est, admets-je.

Soudain les appliques latérales s'éteignent tandis que de puissants projecteurs éclairent le rideau qui s'écarte lentement en dévoilant la merveilleuse perspective des Champs-Élysées avec l'Arc de Triomphe au fond.

— C'est beau, dit-elle.

Un homme qui ronfle comme un cochon, couché sur le trottoir de droite, gâche un peu l'ambiance. Je reconnais Gnafron à son nez d'alcoolique. Plusieurs bouteilles vides sont éparpillées autour de lui. De temps en temps il se gratte furieusement le ventre des deux mains.

À gauche on aperçoit le Fouquet's, le célèbre café où le président de la République a ses habitudes. Il est là, justement, avec Carla, son épouse.

— Quelle horreur ! dit Carla en se pinçant le nez.

— Ça fouette drôlement, convient le président. Garçon !

Guignol sort précipitamment du café en tablier blanc de serveur, son long bâton sous le bras.

— À vos ordres, monseigneur !

— Il faut me débarrasser vite fait de ce sac à vin. Appelez donc les flics !

— Vous avez leur numéro ?

— Comment, tu ne connais pas le numéro de la police ?

— Je l'avais, mais je ne sais plus où je l'ai noté,

répond Guignol en s'approchant discrètement de Gnafron.

Il essaie de réveiller son ami en le piquant du bout de son bâton, il n'y parvient cependant qu'à moitié. Gnafron chante dans son sommeil : « *Laissez-moi cuver mon vin, / ce jus divin, / qui me soutient.* »

Manque de chance, un gros flic passe par là, reconnaît le président, comprend ce qui lui reste à faire. Il saisit Gnafron par le collet et le soulève de terre.

— Que me veut-on ? À qui ai-je l'honneur ? balbutie Gnafron. M. Cassoulet, sans doute ?

— Tu ne sais pas, fripon, qu'il est défendu aux épaves de ton espèce de se montrer sur les Champs-Élysées ?

— C'est vrai, ça ? s'enquiert Carla.

— Parfaitement, ma chérie. On ne peut pas laisser la racaille s'exposer sur la plus belle de nos avenues. Cela ferait mauvais genre, cela pourrait même inspirer des doutes aux agences de notation concernant l'état de nos finances. Ce cochon va nous coûter notre triple A !

— Rassure-moi, il n'y a pas beaucoup de gens sans domicile en France ?

— Tu ne veux pas me payer un verre, mignonne ? l'interpelle Gnafron. J'ai le gosier sec comme une éponge au soleil.

Son insolence rend furieux le flic qui commence à le tabasser en vociférant :

— Ça t'apprendra à manquer de respect à la présidente !

— Entre ceux qui sont à la rue et ceux qui habitent des cabanes, ça doit faire plus de deux cent mille personnes, répond le président avec circonspection.

— Au secours, Guignol ! Je crois qu'il m'est tombé une cheminée sur la tête !

— Mais c'est la population d'une ville comme Padoue ! s'exclame Carla qui, on le sait, est italienne. Ne me dis pas mon chéri que la France va connaître le même sort que la Grèce !

— On en est loin : on trouve encore des restes de nourriture dans nos poubelles, tandis que celles d'Athènes, d'après notre ambassadeur là-bas, sont complètement vides.

Pendant ce bref échange, Guignol a réussi à terrasser le flic, qui gît au milieu des bouteilles. Il attrape Gnafron par le bras :

— Avance, mollasson ! lui dit-il. J'ai l'idée que nous n'avons pas intérêt à rester plus longtemps ici.

— Mais dis-moi un peu, Guignol, si madame est la présidente, l'insecte à côté, c'est qui ?

— Allez, cassez-vous pauvres cons, dit le président.

Est-ce déjà la fin de la représentation ? Le rideau se ferme, j'applaudis de bon cœur. Je suis ravi que Georgette ait trouvé un collaborateur pour lui écrire des pièces d'actualité. Il me paraît peu probable que l'auteur de cette saynète soit Ricardo : s'il écrivait il n'aurait pas besoin de mes services pour apparaître dans un roman. La femme à la tunique applaudit aussi : je suppose que ses mains sont de bois car elle produit un bruit de castagnettes. J'ai besoin d'entendre sa voix pour chasser de mon esprit le soupçon qu'elle n'est qu'une marionnette.

— Ça vous a plu ?

— Énormément, dit-elle. Mais je pense que la suite sera encore meilleure.

Elle pose sa main sur mon épaule. Il s'agit bien d'une main sans vie, pourtant son contact ne m'est pas désagréable. « On doit pouvoir s'habituer à vivre avec une femme comme elle », songé-je.

— Allons faire quelques pas à l'extérieur, propose-t-elle.

Nous nous dirigeons vers l'autre bout du bâtiment, jusqu'à la petite porte de fer qui constitue l'entrée des artistes. Elle a besoin de ses deux mains pour tourner la poignée. J'ai bien envie moi aussi de féliciter Odile et ses deux assistants, mais ils ne sont pas là. En m'avançant je découvre que les innombrables figurines qui occupaient le mur du fond ont disparu et que leur râtelier est totalement vide. Le seul élément nouveau que je remarque est un solide escabeau placé un peu en retrait par rapport à la scène, au milieu de l'espace réservé aux manipulateurs.

— Je vais vous aider à monter dessus, me dit la femme à la tunique. Ça va être votre tour.

Il me paraît vain de protester, de réclamer des explications. De toute façon elle ne m'en laisse pas le temps : elle tire déjà le rideau. Cette opération déclenche un chahut et des cris qui rappellent une cour d'école. La curiosité l'emporte finalement sur mon appréhension : je me hisse sur l'escabeau, soutenu par la femme qui récupère mes béquilles. Je découvre alors un étonnant spectacle : la salle est bondée de marionnettes qui grouillent, se bousculent, s'amusent. Même les couloirs sur les deux côtés sont pleins. Jamais je n'ai été honoré d'une assistance aussi nombreuse. Mon apparition impose un calme relatif. Je distingue dans le tas Don Quichotte portant sa lance et son bouclier, toujours prêt à intervenir, un petit groupe d'Indiens, plusieurs jeunes gens au regard ardent et, tout au fond, le gros lapin blanc. Une jeune femme toute chétive, assise au premier rang, attire également mon attention : elle est habillée d'une bien triste robe gris argent.

— Taisez-vous ! dit-elle avec un charmant accent anglais.

Je lui suis reconnaissant de son intervention, bien qu'elle n'ait aucun effet.

— Commencez donc ! m'invite la femme à la tunique.

Elle se tient derrière l'escabeau, elle enserre mes jambes de ses mains comme pour me préserver d'un faux pas.

Alors je leur parle des Grecs d'autrefois qui étaient tenus, vers quatorze ans, d'abandonner leurs jouets. Je leur lis même une épigramme votive datant du IIIe siècle avant notre ère, relative à cette coutume, que m'a envoyée Miltiadis, cet ami qui travaille au Centre de recherche en sciences sociales d'Athènes : « *Philoclès a consacré à*

Hermès son ballon renommé, ses bruyantes castagnet-
tes de buis, les dés qu'il a aimés a la folie et la toupie
qu'il faisait tournoyer : tous les jouets de son enfance. »

Cette brève lecture ne manque pas de surpren-
dre le public. Le brouhaha s'atténue peu à peu, le
remous se tasse.

— Je n'ai renoncé au ballon qu'à quarante ans,
dis-je, à cause d'une rupture des ligaments du
genou. J'ai failli pleurer lorsque le médecin m'a
annoncé que je devais m'en séparer. Il m'a
consolé en m'autorisant à pratiquer le ping-pong.
C'est dire que, ayant dépassé d'un demi-siècle
l'âge auquel les anciens Grecs faisaient le deuil de
leur enfance, je continue de jouer.

Je suis ému, la jeune femme du premier rang l'a
compris, elle m'adresse un gentil sourire. Des
souvenirs anciens me reviennent en mémoire : je
me vois en train d'ouvrir la porte de la remise du
jardin de Callithéa. « C'est peut-être la dernière
fois que j'ouvre cette porte », songé-je.

— Je n'ai pas eu une vie très intéressante. Ce
n'est pas étonnant car je n'ai aucune de vos
grandes qualités. Il m'arrive de pleurer et plus
souvent encore de me plaindre. Mais vous m'avez
fait cadeau de vos aventures, vous m'avez fait
découvrir des contrées inexplorées, vous m'avez
fait voyager dans le temps. Vous avez vécu pour
moi. Je vous dois mes meilleurs souvenirs. Je suis
heureux de constater que vous avez traversé tout
ce temps sans prendre une ride, c'est, je pense, le
plus beau de vos exploits. Nous nous sommes
quelque peu perdus de vue lorsque j'ai commencé

à prendre de l'âge, cependant le souvenir de vos enthousiasmes m'a toujours mis du baume au cœur dans les moments difficiles. Votre vaillance apaisait mes craintes.

— Il va encore parler longtemps ? demande le lapin à la cantonade.

— Ne l'interrompez pas, voyons ! s'indigne à nouveau la jeune femme du premier rang.

— Je serais très malheureux si nous devions nous séparer. Mais pourquoi le devrions-nous ? J'étais plus jeune que vous quand je vous ai connus. Vous êtes les seules personnes avec qui je peux évoquer le jardin de Callithéa où j'ai grandi. Mes parents et mon frère ont disparu. J'ai tous les âges de ma vie à la fois. Si vous disparaissiez, je n'en aurais plus qu'un seul. Je serais un vieil homme en sortant de ce théâtre.

On entend encore le lapin :

— Je dois m'en aller, j'ai un rendez-vous d'une extrême importance, vous ne devinerez jamais avec qui.

Une explosion de joie accueille cette déclaration, tout le monde rit, des cris fusent de partout :

— Avec la reine ! Avec la reine !

En me retournant pour demander à mon accompagnatrice si elle connaît le nom de la jeune femme du premier rang, je constate que ce n'est plus elle qui me tient les jambes mais la marionnette blanche qui représente la Mort et dont les mains sont des pattes de poulet.

— Tiens, je t'avais oubliée, toi, murmuré-je.

Il y a mille ans, le diable habitait au sud du Luxembourg, à cheval sur ses limites actuelles, entre le jardin et le boulevard Saint-Michel qui s'appelait d'ailleurs à l'époque rue d'Enfer. Il logeait, naturellement, dans un vieux château abandonné, en compagnie de brigands, de prostituées, de mendiants et d'un monstre vert, mi-homme, mi-serpent, armé d'une massue. Comme le diable aime bien rire, tout ce petit monde faisait la fête et s'amusait parfois au détriment des passants, qui étaient habituellement de pieux pèlerins en route vers Saint-Jacques-de-Compostelle. L'endroit, je l'ai dit je crois, était très à l'écart des habitations parisiennes : c'est ce qui a donné son sens à l'expression « aller au diable Vauvert », qui signifie aller très loin. Vauvert, on l'aura deviné, était le nom du château.

La mauvaise réputation du lieu a servi les intérêts des moines chartreux, qui ont persuadé saint Louis de leur céder la ruine en vue de l'assainir. Ils y sont restés cinq siècles, jusqu'à la Révolution : ils en ont alors été expulsés comme le diable avant eux. Ce sont ces moines qui ont découvert qu'il était possible d'améliorer la qualité des fruits en imposant aux arbres cette étrange chirurgie que désavoue Ricardo et qui les oblige à trahir leur nature. Apparemment ils aimaient les fruits plus que les arbres.

Il n'y a plus de moines dans le quartier, ni de brigands, ni de prostituées même. La seule population qui demeure est celle des pauvres. J'en ai rencontré quelques-uns en faisant le tour du jardin qui, à huit heures du soir, était fermé depuis longtemps. J'ai pris conscience qu'en quarante ans de vie parisienne je n'avais jamais échangé un mot avec un clochard – sauf avec celui qui, une nuit, m'avait demandé de lui garder ses affaires. Arrivé sur le boulevard Saint-Michel, je me suis arrêté dans une minuscule officine où il n'y avait de place que pour une machine à café. J'ai acheté un café qu'on m'a servi dans un gobelet et j'ai cherché une place pour m'asseoir. Je n'ai vu aucun banc : la suppression des bancs fait partie d'une politique appliquée avec constance par les pouvoirs publics depuis l'époque où Jacques Chirac était maire de la ville, qui vise à rendre la vie des pauvres encore plus difficile. C'est ce même Jacques Chirac qui prit l'initiative d'enlever les pissotières publiques, qui étaient pourtant assez jolies. Où font leurs besoins les cinq mille vagabonds de la capitale ? Un matin de bonne heure, alors que j'étais dans un café proche de chez moi, le Canon de Grenelle, une femme en guenilles y est entrée et s'est dirigée vers les toilettes. Le patron lui a barré l'accès au sous-sol. Elle a eu beau le supplier, il est resté ferme sur sa position.

Faute de mieux, je me suis assis sur les marches de l'École des mines : elle se dresse à l'emplacement où se trouvaient les installations des chartreux qui ont été rasées par les révolutionnaires. À peine avais-je bu une gorgée qu'une vieille dame qui passait devant moi, croyant que je faisais la quête, a glissé promptement une pièce de monnaie dans mon café. Cela ne m'a pas empêché de le boire : au fond de mon gobelet il y avait une pièce de cinquante centimes. « Je la donnerai à Robinson », ai-je décidé.

Il semble que le sort des pauvres suscite moins de compassion qu'autrefois. Ce serait là un effet du discours politique, qui tend à rendre les vagabonds responsables de leur état, qui leur reproche de vivre aux dépens de la société. On insinue que la pauvreté est un choix et que les pauvres ne sont que de grands paresseux. Les premières victimes de la crise économique font ainsi figure de coupables. L'État n'a pas renoncé à aider les plus démunis, il n'empêche qu'il le fait en rechignant de plus en plus : les critères d'attribution du revenu de solidarité active, qui est de quatre cent soixante-quinze euros par mois, sont devenus si sévères qu'il échappe à la plupart des sans-abri. Ceux qui parviennent à le toucher sont néanmoins montrés du doigt, afin que personne n'ignore que ce sont des profiteurs. Les travailleurs les plus mal payés sont invités à comparer leur situation à celle des rentiers du RSA :

— Voyez donc comme il y a des gens qui gagnent plus que vous sans rien faire !

Afin de se soustraire à la vindicte des plus malheureux, le pouvoir envisage une guerre des pauvres.

J'ai eu ces renseignements par les Compagnons de la nuit qui ont mis à ma disposition divers documents concernant les sans-abri, émanant de la fondation Abbé-Pierre, de l'Observatoire parisien de l'insertion et de la lutte contre l'exclusion et de la Ville de Paris. J'ai découvert que la plupart des SDF se sont retrouvés à la rue à la suite d'un licenciement, d'un divorce, ou des deux à la fois, qu'ils sont en majorité des hommes, pour moitié des étrangers venus d'Afrique et d'Europe de l'Est, qu'ils boivent beaucoup, qu'ils souffrent de toutes sortes d'affections et qu'ils vivent moins longtemps que l'ensemble de la population. Les quatre cent cinq clochards trouvés morts l'année dernière avaient en moyenne quarante-neuf ans. Certains meurent de ne plus avoir le courage de bouger, ils restent couchés sur un bout de macadam en attendant leur fin comme un ultime rendez-vous avec eux-mêmes. Les travailleurs sociaux ont forgé un mot nouveau pour désigner l'état d'abandon de ces personnes : ils disent qu'elles sont en cours d'*asphaltisation*.

J'ai noté le mot *asphaltisation* et aussi *chème* – « faire la chème » –, produit par inversion des syllabes de « manche ». Le verbe « glaner » s'applique à la récupération des fruits et légumes passablement pourris sur les marchés.

La Moquette fait partie de ces rares endroits où l'on ne vous demande rien à l'entrée, ni même à l'intérieur. On s'y sent aussi libre de circuler que dans la rue. C'est une espèce de rue qui se trouve à l'intérieur d'un immeuble. Dans l'entrée, j'ai rencontré Robinson assis par terre mais sans son bonnet ni, bizarrement, sa culotte. Il somnolait, tête baissée, l'air de contempler la cicatrice qu'il avait à la cuisse droite et qui, je dois l'admettre, était bien plus impressionnante que les miennes. Allais-je retrouver Marie-Paule aussi ? C'était un jeudi, le jour consacré à l'écriture.

J'ai pris l'escalier qui descendait au sous-sol. Mon arrivée n'a suscité aucune curiosité, comme si j'étais un habitué du lieu, un espace assez grand où quelques personnes étaient effectivement installées sur la moquette bleue, mais où il y avait également des chaises et trois tables. J'ai eu du mal à repérer les compagnons, non pas parce que les personnes présentes avaient un air de famille mais, au contraire, parce qu'elles n'en avaient pas : c'était une réunion de gens hétéroclites. Il était difficile d'identifier les SDF qui se trouvaient parmi eux, à l'exception de Petit Louis, un roux d'une cinquantaine d'années au visage cramoisi, muni d'un porte-bagages à deux roues simplement chargé d'une veste et d'un sac en plastique plein de chaussures.

— Alors, P'tit Louis, tu vas écrire ? lui a demandé une dame mûre qui, à en juger par sa tenue, avait sûrement une adresse dans le quartier.

Petit Louis a ri bêtement. J'ai compris qu'il n'écrirait pas. Il y avait d'autres femmes, une vieille dame aux cheveux blancs, elle aussi habillée avec goût, une jeune fille aux allures d'étudiante. Une blonde d'âge moyen, d'une maigreur squelettique, tenait une brindille avec laquelle elle traçait des figures dans l'air qui étaient peut-être des lettres de l'alphabet. C'est vrai que la plupart des hommes étaient vêtus de frusques qu'ils n'avaient pas dû trouver dans un magasin et étaient mal rasés. Certains avaient le crâne tondu, d'autres portaient les cheveux longs et des barbes de père Noël. Ils se connaissaient entre eux, peut-être pas tous, j'ai néanmoins enregistré assez vite quelques prénoms : Fredo, Camille, Serge, Martine, Saïd, Farid, Marion.

J'ai fini par comprendre que les animateurs étaient les personnes les plus jeunes de l'assistance. Je me suis approché de Cyrille, je lui ai parlé de Marie-Paule, je lui ai dit que j'avais besoin de renseignements sur les sans-abri et le travail des compagnons. Il m'a proposé de le suivre à l'extérieur, il voulait fumer.

— Les sans-abri ne forment pas un groupe homogène, m'a-t-il confirmé. Le fait d'être à la rue ne détermine pas une identité. Ils ont chacun leur histoire, comme tout le monde. Ils ne s'entendent pas forcément entre eux, ils se méfient plutôt les uns des autres, c'est pour cela qu'ils détestent les centres d'hébergement d'urgence, où ils sont logés dans des dortoirs. Il n'y a pas non plus de fossé entre eux et nous, ils ne sont pas de l'autre côté, il n'y a pas d'autre côté. Marie-Paule a dû vous dire que nous accueillons des gens très divers. J'ai vu bien des amitiés se nouer entre des sans-abri et des bourgeois.

Petit Louis est sorti du local en traînant son porte-bagages. Craignait-il d'être dépossédé de ses godasses ? Il a pris position à quelque distance de nous, adossé à une voiture.

— Nous avons des visiteurs réguliers qui viennent tous les soirs et d'autres qui ne se manifestent que le jeudi pour l'atelier d'écriture. Nous organisons également des conférences, récemment une dame nous a initiés à la dégustation du vin. Elle a apporté les verres et les bouteilles, elle a tout de même eu du mal à persuader certains de nos amis qu'il fallait recracher le vin après l'avoir mis dans sa bouche. Et puis il y a des gens qui disparaissent pendant six mois. On ne leur demande pas où ils étaient.

Un grand gaillard aux cheveux gris taillés en brosse qui portait à l'épaule un sac plastifié aux couleurs vives nous a rejoints. Il était très fâché contre Cyrille, à qui il a reproché de répandre une idéologie de gauche :

— Tu n'as jamais invité un conférencier de droite, l'a-t-il blâmé.

Le compagnon a failli s'énerver car l'autre tenait des propos franchement racistes : il accusait les étrangers d'être les instigateurs de ses malheurs. En fin de compte, Cyrille a choisi de se retirer. Resté seul avec le gaillard, j'ai voulu savoir si son point de vue sur les immigrés était partagé par beaucoup de personnes en situation précaire.

— On ne peut pas discuter avec ces gens-là ! m'a-t-il dit avec une moue de mépris. Vous les connaissez, ils sont bourrés du matin au soir !

Lui ne buvait pas une goutte. Son irritation était cependant celle d'un alcoolique qui a le vin mauvais. « C'est un alcoolique qui ne boit pas », ai-je pensé. Un livre dépassait de son sac : il a bien voulu me le montrer. Il s'agissait d'une biographie de Jules César parue chez Fayard il y a longtemps.

— Je lis beaucoup, m'a-t-il confié. J'aime bien apprendre.

— Quel genre de livres ?

— Je ne les choisis pas ! Je lis ce qui me tombe sous la main. Celui-ci je l'ai trouvé dans une poubelle.

Je n'ai pas poussé plus loin ma conversation avec lui. J'avais des choses à lui dire, mais je n'avais pas très envie de lui parler. Je devinais que tôt ou tard il m'énerverait aussi. Je suis donc redescendu dans le sous-sol où Cyrille m'avait mis de côté les documents que je lui avais demandés.

La femme décharnée continuait à écrire dans le vide avec sa brindille. Pourquoi était-elle venue puisque rien d'autre ne paraissait l'intéresser ? J'ai supposé qu'elle avait besoin de se livrer à ce jeu en public. La décoration du lieu se limitait à une affiche assez sinistre qui figurait les principaux types de chauves-souris, la noctule, la pipistrelle, le vampire. Dans la petite bibliothèque encastrée dans un mur, j'ai repéré une encyclopédie et les œuvres complètes d'Émile Zola en édition reliée. Sur les tables étaient éparpillés plusieurs journaux, mais aucun de droite, ainsi que des dictionnaires, y compris un dictionnaire des rimes pour le cas où l'un des participants aurait souhaité s'exprimer en vers. Il n'y avait pas d'appareil de télévision. On nous a donné le sujet sous forme de photocopie représentant un homme qui marchait sur un fil. Cette image a plongé tout le monde dans la méditation. Deux personnes ont choisi de quitter la salle pour mieux se concentrer. Je les ai vues un peu plus tard quand, après avoir écrit ce qui me passait par la tête, je suis sorti fumer : elles écrivaient assises sur le trottoir, dos au mur, à leur place habituelle en somme. Mon voisin, un jeune Asiatique, n'écrivait pas : il lisait un roman français, *La Malédiction des anges* de Danielle Trussoni, et recherchait dans le *Petit Robert* les mots qu'il ne comprenait pas. Au bout d'un moment la femme à la brindille a posé la tête sur la table et a fermé les yeux.

À onze heures nous nous sommes donc mis en rond et nous avons commencé à lire. À la fin de la lecture de chaque texte tout le monde applaudissait, même son auteur. Je n'ai pas retenu grand-chose de ce que j'ai entendu. J'ai remarqué toutefois que, pendant qu'ils lisaient, ces gens qui pour la plupart n'ont pas une existence facile, qui portent sur leur visage les marques de nuits sans fin, se transformaient : on aurait dit qu'ils découvraient en eux des raisons d'espérer. Jamais le pouvoir des mots ne m'avait paru aussi merveilleux. « Ils sont en train de faire valoir leurs droits à la beauté du monde », ai-je pensé.

La contribution d'un barbu tenait en une seule phrase, que je me suis promis de ne pas oublier car il m'a semblé qu'elle concluait parfaitement la soirée :

— Je voulais vivre de plus haut, nous a-t-il simplement déclaré.

J'ai quitté ce lieu dans un état d'euphorie que je n'avais pas connu depuis longtemps, non sans avoir déposé dans la poche de Robinson qui dormait profondément la pièce de cinquante centimes.

10

Bien que je déteste particulièrement dans les récits policiers l'instant où le détective saisit soudain l'importance d'un détail qu'il connaît depuis longtemps, je dois reconnaître qu'une lumière semblable s'est faite dans mon esprit en allant chez Georgette pour voir les figurines qu'elle a confectionnées pour la fête. C'est le nom de la rue qui m'a mis sur la bonne piste : je me suis rappelé en effet que Marie-Paule aussi habite rue Notre-Dame-des-Champs. Cette coïncidence a suffisamment éveillé ma curiosité pour m'inciter à lire la liste des locataires affichée dans l'entrée de l'immeuble où réside Georgette. Tout en bas de ce tableau, où étaient groupées les personnes occupant le dernier étage, figurait Marie-Paule Vauquelin. Il ne m'en fallait pas plus pour imaginer que la femme qui avait rendu visite une nuit à Marie-Paule n'était autre qu'Alice, la mère de Georgette et d'Odile, l'ancienne chapelière de la reine d'Angleterre. « Tu tiens le bon bout, fiston », me suis-je dit sur le ton paternel qu'adopte parfois Long John Silver à l'égard de Jim Hawkins.

Malgré mon manque de goût pour les enquêtes policières, j'ai pénétré dans l'atelier en jetant autour de moi des coups d'œil bien plus attentifs que la première fois, comme si chaque objet était susceptible de corroborer mon hypothèse que Marie-Paule, Georgette et Odile étaient nées de la même mère. C'était le soir et il pleuvait. Une des fenêtres était ouverte. Les gouttes d'eau s'illuminaient devant cette ouverture, on aurait dit qu'il pleuvait de l'or.

— J'aime bien le bruit de la pluie, a dit Georgette. C'est un discours qui me détend, sans doute parce qu'il est privé de contenu.

Les abat-jour disposés çà et là donnaient un relief singulier à certaines choses. Les trois poupées étaient toujours sur le canapé, mais plongées dans l'ombre du rideau tendu au milieu de la pièce. À la réflexion, il m'a paru que celle de gauche à la crinière de jais, qui avait la possibilité de fumer, ressemblait plus à Marie-Paule qu'à la statue de la rue Bonaparte. « Georgette a réalisé à son insu le portrait de sa sœur. » L'inscription RÉPARER GUIGNOL ET LE LION était restée sur le tableau noir.

— Vous voulez un whisky ?

J'ai accepté en dépit du fait que l'alcool rend inopérants les médicaments que je prends. J'ai pensé que je serais plus à l'aise dans mon nouveau rôle avec un verre de whisky à la main.

— Vous connaissez Marie-Paule Vauquelin ?

— Bien sûr. Je la connais depuis toujours. Nous jouions ensemble quand nous étions petites dans le jardin du Luxembourg. Mon père ne voyait pas d'un bon œil cette amitié, il estimait que la fille du gardien et de la dame des toilettes ne méritait pas notre société. En fait ils n'étaient que ses parents adoptifs. Marie-Paule ne connaît pas ses vrais parents, elle a été abandonnée à la naissance. Elle est née dans le jardin comme Tarzan dans la jungle.

— Et votre mère, ai-je demandé du ton détaché qui convenait, comment voyait-elle votre amitié ?

— Elle avait de la sympathie pour Marie-Paule. Je me souviens qu'elle avait déploré le refus de ses parents de l'inscrire à l'École alsacienne, qui est un des établissements les plus chics du quartier et où nous avons fait notre scolarité, Odile et moi. Notre père rêvait de nous ouvrir les portes du meilleur monde. Nous avons en fait découvert dans cette institution que les barrières sociales sont infranchissables.

Elle buvait elle aussi du whisky. Nous avions repris nos places habituelles. Nous avons entendu des pas au plafond : quelqu'un marchait à vive allure, parcourait la pièce dans tous les sens, et s'est arrêté finalement du côté de la rue.

— C'est Marie-Paule, m'a dit Georgette, elle occupe le studio juste au-dessus. J'ai remarqué qu'elle aime elle aussi la pluie. Vous entendez ? Elle vient d'ouvrir sa fenêtre.

— Il y a longtemps qu'elle habite ici ?

— Très longtemps. Le studio appartient à une vieille amie de ma mère.

— Une Anglaise, peut-être ? ai-je suggéré.

— Pas du tout ! Elle est originaire de la Drôme !

« Voilà comment Alice s'est procuré la clef du studio : par l'entremise de son amie. » J'ai estimé que j'avais assez bien conduit mon interrogatoire et je me suis autorisé à allumer ma pipe comme l'auraient fait le commissaire Maigret ou Sherlock Holmes. Je mourais d'envie naturellement de monter chez Marie-Paule pour lui annoncer que je connaissais le nom de sa mère. Je l'ai vue en train d'écarter les pans de sa robe de chambre me dévoilant ses seins.

— Vous avez une preuve, je suppose, de ce que vous avancez.

— Pas la moindre, ai-je reconnu.

Elle a refermé prestement son vêtement. J'ai tourné les yeux vers la reine d'Angleterre avec cette espèce d'intuition que possèdent les enquêteurs chevronnés qu'elle pouvait m'aider à tirer au clair cette affaire. Je l'ai implorée de me secourir comme si c'était une icône.

— Vous savez qui d'autre aimait bien Marie-Paule ? Sartre !

— Le philosophe ? ai-je demandé assez bêtement.

— Il venait de temps en temps au Luxembourg. Il regardait les arbres. En fait, ils ne l'intéressaient pas. Il songeait à leur description, chaque arbre masquait sa propre description. Les arbres étaient des mots qui avaient la propriété de fleurir, comme les oiseaux étaient des mots qui avaient la capacité de voler. Il ne voyait que des mots autour de lui, il se promenait dans un océan de signes typographiques. Marie-Paule avait une vingtaine d'années alors. Elle secondait déjà Séverine dans son travail. Je n'ai jamais compris pourquoi elle avait accepté de prendre la succession de sa mère, pourquoi elle n'a pas fait autre chose dans sa vie. Ma mère avait tenté de la convaincre d'apprendre un métier et lui avait même proposé de travailler pour notre théâtre. Mais mon père s'y était opposé fermement, « Je ne veux pas de complications chez moi », avait-il déclaré à ma mère sur un ton qui m'avait fait peur. À quel genre de complications faisait-il allusion ?

Était-il donc au courant du lien qui existait entre sa femme et Marie-Paule ? Un bruit sourd a retenti à l'étage du dessus, provoqué vraisemblablement par la chute d'un objet lourd : c'était comme un commentaire à mes réflexions. Georgette fixait son verre.

— Les mots connaissent la vérité, vous ne trouvez pas ? Je passe des heures à songer sans but déterminé, je laisse aller mes pensées où bon leur semble. Elles cheminent à tâtons dans le noir. Brusquement une lumière éblouissante traverse ces ténèbres : elle vient d'un mot, d'un seul, et qui peut être très banal. J'ai commencé *Le Sandwich*, a-t-elle ajouté avec une légère affectation.

J'ai baissé les yeux comme si elle m'avait pris en faute. Puis j'ai ingurgité une bonne rasade de

whisky. Je redoute les jugements sur mes écrits :
quand ils sont élogieux ils ne m'enchantent pas
outre mesure, en revanche ils me blessent profondément quand ils sont défavorables. D'une
manière générale ils me font plus de mal que de
bien.

— Je suis arrivée au point où le moine Gaspard
et le nain Birotteau décident plutôt que d'escalader l'Himalaya d'en faire le tour, suivant l'exemple de Napoléon qui avait contourné les Alpes.

— Vous êtes au tout début de l'histoire, ai-je
remarqué, me souvenant que cet épisode inter-
vient au milieu du premier chapitre, à la page six
ou sept.

— Les deux marionnettes que j'ai construites
pour la fête m'ont pris énormément de temps,
s'est-elle excusée. Elles mesurent un mètre
soixante et pèsent chacune dix kilos, vous vous
rendez compte ? J'ai sculpté leur visage dans du
polystyrène que j'ai ensuite recouvert de papier.
Leurs cheveux sont en papier journal. Vous voulez qu'on aille les voir maintenant ?

— Tout à l'heure, ai-je proposé.

Elle a compris que j'étais tout de même curieux
de connaître son avis sur les six ou sept premières
pages de mon livre.

— Vous aimez les dialogues, a-t-elle observé.
Je suis sûre que vous pourriez écrire pour le
théâtre de Guignol. J'ai bien aimé cette phrase :
« *Ô choses de mon enfance, quelle impression vous
m'avez laissée !* »

— Elle n'est pas de moi ! J'ai dû la trouver

quelque part. Je l'ai utilisée dans un esprit de dérision.

— De dérision ? a-t-elle répété un peu déçue. Vous savez à qui vous me faites penser ?

— À qui ? ai-je demandé avec espoir.

Elle m'a cité le nom d'un auteur indien que j'entendais pour la première fois et que j'ai été incapable de retenir. J'ai considéré néanmoins que c'était un compliment car elle avait de toute évidence une vive admiration pour cet homme. Je n'ai pas su toutefois ce que nous avions en commun.

— Marie-Paule a mis ses pantoufles, a-t-elle dit en regardant le plafond. Elle ne tardera pas à aller se coucher. Elle se lève de très bon matin, la pauvre.

Marie de Médicis et Polichinelle nous attendaient sagement assis sur un lit étroit, dos au mur, aisément reconnaissables, elle à ses bonnes joues et à son menton pointu, lui à son nez crochu et à son air hilare. Marie portait une couronne assez semblable à celle de la reine d'Angleterre, une collerette qui lui enveloppait la nuque et une robe à paniers gris perle. Polichinelle aussi était gratifié d'une collerette, mais qui faisait le tour de son cou. Il était affublé par ailleurs d'un bicorne et d'un costume rouge et or. Les grandes marionnettes ne sont pas constituées simplement d'une tête : elles ont un corps rembourré d'une mousse comme celle qu'on utilise pour les canapés. Elles sont manipulées par-derrière, au moyen de deux bâtons plantés dans leurs bras qui se prolongent au-delà de leurs coudes et d'une crosse en bois en forme de *S*, qui part de l'intérieur de leur tête et aboutit entre leurs omoplates. Les deux figurines paraissaient si vivantes qu'on pouvait s'étonner de leur silence.

— On ne nous a accordé que cinq minutes pour notre exhibition. J'ai imaginé une rencontre entre Marie et Polichinelle sur le pont Neuf : ils parlent avec attendrissement de leur Italie natale, puis ils évoquent les tourments qu'ils subissent en France, la reine de la part de son fils, de Richelieu et des filles du Calvaire qui l'espionnent pour le compte du cardinal, Polichinelle de la part des agents de police qui lui demandent ses papiers à chaque coin de rue. Ils cherchent à l'embarquer dans le fourgon à six chevaux noirs qui sert à reconduire les étrangers à la frontière.

— Le président Sarkozy pourrait penser que vous décriez sa politique concernant les immigrés.

Elle a ignoré mon objection.

— En fin de compte Marie lui propose une place dans son palais, pour le mettre à l'abri des tracasseries policières. Polichinelle lui répond en lâchant un vent : il préfère rester libre. Aux agents qui viennent l'interpeller, et qu'on ne verra malheureusement pas, il fait la même réponse : la scène se termine par une salve de pets.

Elle a ri. Je ne l'avais encore jamais vue aussi gaie. Elle avait trouvé dans un magasin de farces et attrapes un mécanisme produisant le bruit dont elle avait besoin pour son spectacle. Elle a retourné Polichinelle et m'a montré le bouton qu'il avait au bas de son dos. Nous étions dans une ancienne chambre d'enfant : les panneaux vitrés de la fenêtre étaient couverts d'autocollants. Un petit pupitre occupait un angle de la pièce, sur lequel était posé un panier en osier plein de jouets. J'ai pensé que Georgette non plus n'avait jamais pris congé de son enfance.

Quand nous sommes retournés dans l'atelier, je me suis rappelé qu'elle avait eu le projet de donner des spectacles gratuits pour les SDF. Je lui ai donc parlé des Compagnons de la nuit et de leurs réunions. Je lui ai raconté l'atelier d'écriture auquel j'avais assisté, sans oublier de lui signaler que Marie-Paule y participait de temps en temps.

— Elle écrit ? m'a-t-elle demandé avec intérêt.

J'ai rêvé que les trois sœurs travailleraient désormais ensemble et que Marie-Paule pourrait enfin démissionner de son poste.

Georgette a regardé de nouveau le plafond.

— Elle vient de fermer sa fenêtre, a-t-elle dit.

Il pleuvait toujours.

Je ne me sens plus aussi libre que lorsque j'ai commencé ce texte. Il a établi peu à peu sa propre règle, qui m'impose certains sujets et m'en interdit d'autres, qui me recommande un ordre plutôt qu'un autre. Le trajet parcouru m'indique le chemin à suivre. J'écris en quelque sorte sous la dictée de mon texte.

Je ne pourrai pas utiliser toutes les idées que j'ai notées en marge de cette rédaction. Chaque livre que je termine me laisse plusieurs pages de brouillons qui n'ont servi à rien. Je les garde cependant en escomptant qu'ils trouveront une place dans mon prochain ouvrage. Mais les notes rejetées par un livre le sont par tous. Je les range dans un tiroir qui commence à être saturé. Je les jetterai probablement en rentrant rue Juge. Je trouverai facilement un meilleur emploi pour ce tiroir.

Il me semble qu'il faut renoncer à évoquer la figure de la Grande Mademoiselle, qui fut la petite-fille de Marie de Médicis et qui a occupé le palais du Luxembourg pendant une trentaine d'années dans la seconde moitié du XVIIe siècle. Son seul intérêt tient au fait qu'elle a été la grande championne du courant littéraire des précieuses, qui consistait à préférer au mot simple le mot compliqué. Paradoxalement, j'ai découvert très tôt cette école, à travers la pièce de Molière *Les Précieuses ridicules* que mon père a jouée. Mon affection pour les mots ordinaires devrait-elle quelque chose à cette réminiscence ?

Je comptais raconter une orgie chez la duchesse de Berry, mais il est trop tard pour entreprendre une telle description, qui me demanderait par ailleurs un effort de recherche que je suis bien incapable de fournir. Je ne sais même pas comment les gens parlaient à cette époque. Voilà encore un mot nouveau que j'ai appris de la bouche de Cyrille, le compagnon de la nuit : « sous-gens ». Il m'a dit que les clochards ne sont pas des sous-gens. Dois-je me considérer moi aussi comme un compagnon de la nuit, étant donné que les livres de littérature sont généralement lus le soir à la lumière d'une lampe de chevet ?

J'avais également envisagé un instant de faire périr Ricardo de la main du serveur de l'Auberge des Marionnettes. Mais ce n'est pas une bonne idée. Je suis convaincu que j'aurai besoin de l'Italien jusqu'à la fin de mon livre.

Est-ce que Georgette a raison de soutenir que les mots disent la vérité ? Il arrive qu'ils éclairent parfaitement une situation. Je me souviens d'un mot prononcé par une femme qui m'avait stupéfié. Je lui avais demandé ce qu'elle pensait de notre relation qui durait depuis pas mal de temps et elle m'avait répondu qu'elle se traînait. Je le savais pertinemment, cependant il faut croire que certaines choses on les sait sans en avoir vraiment conscience. Je devinais la vérité comme on devine la forme d'une statue sous le tissu qui la recouvre en attendant son inauguration. En énonçant ce mot, Katérina – elle s'appelait Katérina – avait tout simplement arraché l'étoffe.

Je pense plutôt que les mots prêchent aussi bien le vrai que le faux, qu'ils n'ont aucune moralité, qu'ils ne font pas la différence. Je les soupçonne même d'avoir une légère préférence pour le faux, probablement parce que c'est mon cas. J'ai toujours vécu il me semble avec un pied hors de la réalité. Écrire est une façon de reconnaître qu'on a une double vie. Un oiseau vient de se poser sur la balustrade du balcon et se met aussitôt à chanter. Il est relativement tard pourtant, je croyais que les oiseaux se reposaient à cette heure. « C'est l'oiseau de Sartre, pensé-je, il est venu pour me seconder dans ma réflexion. »

J'écris pour la dernière fois dans ce lit. Je dormirai encore ici demain soir, mais je ne crois pas que j'aurai le courage de travailler après la fête. Je quitterai l'hôtel après-demain, dimanche. J'ai suffisamment de fois gravi l'escalier des toilettes du jardin pour être à peu près sûr de pouvoir monter mes étages. Je ne serai pas seul de toute façon. Alexios viendra de Strasbourg en voiture pour m'aider à déménager. J'aurai passé un mois et demi dans cette chambre sans m'habituer vraiment à elle. Les chambres d'hôtel vous rappellent sans cesse que vous n'êtes que de passage : elles sont garnies de lits trop grands et de meubles trop petits. Ce sont des lieux pour dormir, pas pour vivre. Je suis néanmoins reconnaissant à celle-ci de m'avoir permis d'écrire ce texte. J'ai prévenu de mon départ le gérant, qui m'a demandé à nouveau comment j'allais intituler mon livre. Je lui ai dit que j'hésitais toujours et j'ai mentionné les premiers titres qui me sont venus à l'esprit :

— *Le Secret d'Alice, Guignol et le Lion, Le Diable Vauvert.*

— Je vois que vous avez renoncé aux *Nonnes sanglantes*. J'imagine que ce titre ne correspond plus au contenu de votre livre. Vous pouvez me dire de quoi ça parle ?

— C'est un livre sur la vie et la mort, ai-je

déclaré sur le ton onctueux d'un ecclésiastique, car je venais de me rappeler que l'hôtel portait le nom d'un abbé qui avait autrefois traîné ses lattes rue de Fleurus. Sur la santé et la maladie, ai-je poursuivi, le mouvement et l'immobilité, le geste et la parole.

Insensiblement je cédais à une certaine exaltation. C'est en criant presque que j'ai achevé cette petite énumération :

— Le mensonge et la vérité, le rêve et la réalité, la mémoire et l'oubli, la richesse et la pauvreté, la naïveté et la ruse.

J'ai failli ajouter l'être et le néant mais je me suis retenu.

— Ça a l'air passionnant, a-t-il commenté. Avez-vous jamais songé à bâtir un roman autour d'un personnage historique, comme Napoléon par exemple ?

Au bout du comptoir qui nous séparait, devant un vase de fleurs, était installé un petit buste en fer de Napoléon. Je ne l'ai remarqué que lorsque j'ai entendu le nom du Petit Caporal, comme si j'avais besoin de mes oreilles pour voir.

— Cela réduirait considérablement mon plaisir puisque je n'aurais plus grand-chose à inventer. Les auteurs qui s'inspirent de l'histoire ne font pas du roman mais du secrétariat ! ai-je conclu avec force.

— Napoléon est un personnage très moderne, a-t-il insisté. Il a été le premier homme politique à se livrer systématiquement à sa propre promotion. Partout où il conduisait son armée, il faisait paraître des journaux qui sublimaient son action et qui présentaient même ses échecs comme des victoires. C'était un génie, vous savez.

J'ai pensé que la propagande du Petit Caporal était sans doute très efficace puisque, deux siècles plus tard, elle faisait toujours de l'effet.

— Est-ce que vous pouvez m'expliquer pourquoi les romanciers donnent toujours l'âge de leurs personnages et jamais leur taille ? m'a-t-il encore interrogé.

— Il m'est arrivé de préciser la longueur d'une avenue, la hauteur d'un mât, la profondeur d'un trou, mais jamais les mensurations de mes héros, ai-je admis. Combien mesurez-vous, au fait ?

— Un mètre soixante-huit, comme Napoléon. Mais au temps de l'Empereur c'était une hauteur à peu près correcte, disons moyenne, tandis qu'aujourd'hui...

— Vous avez la taille idéale pour devenir marionnettiste, l'ai-je consolé.

La perspective de réintégrer la rue Juge m'enchante moins depuis qu'elle s'est rapprochée. Le Luxembourg me manquera sûrement : où irai-je me promener dans le 15e arrondissement, sous le métro aérien ? Il y a bien un petit square pas trop loin de chez moi, mais son horizon est bouché par d'immenses tours. Le quartier me manquera aussi : j'étais ravi de saluer le personnel du Fleurus, d'acheter le journal chez l'épicier arabe, de visiter la librairie et même de me rendre au laboratoire du boulevard Raspail, où une fois par semaine Mme Boukli mesurait mon taux de prothrombine. Mes rapports avec les professionnels du 15e sont moins bons : la laborantine de la rue de Lourmel est une femme revêche, la vendeuse de journaux une vieille râleuse, le marchand de légumes un gueulard, le patron du Canon de Grenelle, comme je l'ai déjà dit, un salaud. Les seuls endroits où il m'arrive d'échanger quelques mots sont la pharmacie, qui est tenue par la belle Valérie et Guy, et la boutique où je fais mes photocopies qui est gérée par un Iranien. Finalement, l'établissement où je me sens le mieux et où je passe parfois un long moment à lire est la laverie, où il n'y a que des machines. J'ai fini par apprendre leur langage, je communique parfaitement avec elles. Pour ce qui est de mes voisins d'immeuble, on se dit à peine bonjour. Cela fait pourtant vingt ans qu'on se croise dans l'escalier : mais on ne se regarde pas. Mon immeuble, comme la plupart des immeubles parisiens, n'est occupé que par des gens qui détestent la promiscuité.

Je vais devoir réapprendre à préparer le café tout seul. Je crains de retrouver intact le souvenir de la dernière matinée que j'ai passée dans mon studio avant de me rendre à Aix. Je me rappelle que c'était un jour de grève. Suis-je exposé à un nouvel accident ? Je veux croire que le destin n'a aucune raison de s'acharner sur moi et qu'il me laissera tranquille pendant un certain temps. Je serai content bien entendu de récupérer mes affaires, ma table de travail, ma machine à écrire. La chambre est si conforme à mes besoins, connaît si bien mes habitudes, anticipe si promptement mes désirs que j'ai l'impression de disposer d'une servante dévouée comme on en rencontre dans certains romans. Lui paraîtrai-je changé, vieilli peut-être ? « Je fais désormais partie des gens qu'on peut ne pas reconnaître quand on ne les a pas vus depuis longtemps. » Qui était donc la jeune Anglaise assise au premier rang du théâtre de marionnettes pendant que je prononçais mon discours ? Peut-être les livres qui sont rangés dans la petite bibliothèque à côté de mon matelas sur la mezzanine, et qui sont pour la plupart des classiques de la littérature, m'aideront-ils à l'identifier.

Alexios ne repartira pour Strasbourg que le dimanche soir. Nous aurons ainsi le temps de dîner ensemble et d'ouvrir une bouteille, comme nous l'avons fait son frère et moi en revenant d'Aix. J'ai conservé nos billets de train : ils constituent en quelque sorte l'entrée en matière de ce récit. J'appréhende un peu le moment où Alexios s'en ira, le silence qui suivra, les gestes que j'aurai à accomplir dans le silence pour fermer la porte puis pour me déshabiller, il me laissera à l'intérieur d'un silence. Je verrai à nouveau son frère en train de s'éloigner, marchant sur les feuilles mortes du Luxembourg, chargé de son sac à dos rouge.

Dès le lendemain matin je me mettrai au travail. Je reprendrai ce manuscrit depuis le début : je suis sûr qu'il y a des précisions à apporter, des doutes à distiller, des ombres à ajouter. J'attends avec impatience le moment où j'ouvrirai pour la première fois depuis si longtemps le *Grand Robert* en neuf volumes qui se trouve sur une étagère sous le téléphone. Chaque fois que je saisis un de ses volumes je me réjouis comme si je me faisais un cadeau. Ainsi peu à peu j'accéderai à un espace qui n'appartient à aucun lieu, dépourvu d'adresse, qui flotte à la surface du temps comme le jardin de Callithéa.

J'ai annoncé à Jean-Marc aussi que j'allais quitter l'hôtel.

— Tu es sûr que tu pourras grimper tes cinq étages ?

Il soutient depuis des mois déjà que je dois m'occuper de trouver un logement plus confortable. Il m'encourage par ailleurs à acheter un téléphone portable. J'admets qu'il m'aurait été bien utile à Aix, les deux premiers jours surtout, où je n'avais pas encore de téléphone dans ma chambre. Je trouve cependant qu'on paie un peu cher l'avantage de pouvoir téléphoner de n'importe où en concédant à tout le monde le droit de vous appeler n'importe quand.

Au risque de m'entendre dire qu'il y a trop de livres sur le marché qui retracent des aventures hospitalières, je lui ai confié que j'avais commencé un texte dont le point de départ était mon opération.

— J'avais besoin de parler des cubes en béton qui occupaient le parvis de l'hôpital où nous nous retrouvions mes enfants et moi pour fumer et boire un café au soleil.

Au bout d'un long silence il a dit :

— Je comprends.

Je lui ai avoué également que j'avais ressuscité quelques-uns des héros des livres de mon enfance.

— Comme il se sent un peu seul, mon narrateur convoque d'Artagnan.

— Le plus bel hommage rendu à un personnage de roman est celui adressé à Fantine, la mère de Cosette, qui devient prostituée pour subvenir aux besoins de sa fille, par les prostituées parisiennes : lors des funérailles de Victor Hugo elles se sont données gratuitement à leurs clients !

Il a décliné mon invitation de venir avec moi à la fête : bien qu'il souffre d'insomnies, il n'aime pas veiller tard.

— Tu ne comptes pas danser, j'espère ?

L'initiative des prostituées parisiennes m'a remis en mémoire un autre fait qui atteste la popularité des personnages de fiction. Michel Strogoff, dont les aventures ont été un énorme succès de librairie, a provoqué un véritable engouement des Français pour la Russie : du jour au lendemain, il est devenu de bon ton de manger russe, de s'habiller à la mode russe, de décorer sa maison comme une datcha.

Ai-je dit que l'hôtel est en travaux de ravalement et qu'un échafaudage couvre entièrement sa façade ? Mon balcon est pris en sandwich entre deux plates-formes, dont l'une passe nettement plus haut et l'autre nettement plus bas. Celle du haut ne me permet de voir que les pieds des ouvriers, celle du bas uniquement leur tête. Le hasard fait parfois qu'une tête se déplace au même rythme et dans la même direction que les pieds qui se trouvent juste au-dessus d'elle : j'ai alors l'illusion de voir une seule personne, dont les pieds auraient pris la place de la tête et la tête celle des pieds. Je me laisse si bien convaincre par cette vision que j'ai froid dans le dos l'instant d'après, lorsque la tête s'arrête et que les pieds continuent d'avancer.

Mais il y a un moment que les ouvriers ont fini leur journée. Hier, à la même heure, j'étais chez Georgette. Je pense à présent qu'Alice a choisi de laisser son enfant dans le jardin afin qu'il soit pris en charge par des gens travaillant sur place et qu'elle puisse suivre de loin son évolution. En rangeant mes papiers dans mon cartable je feuillette mes premières notes, parmi lesquelles je retrouve, tracé en haut d'une page blanche et souligné deux fois, ce titre : *La Descente aux*. Il me rappelle que j'avais songé à écrire un texte composé de phrases lapidaires, amputées de certains mots. Était-ce la crainte que j'avais eue à l'hôpital d'Aix d'être mutilé d'une jambe qui m'avait donné l'idée de raccourcir les phrases ? « Le lapin a raison, je suis devenu extrêmement bavard », pensé-je.

Lorsque ce récit sera publié, j'irai le vendre dans le jardin du Luxembourg. Je poserai les piles de livres sur mon banc préféré et je m'installerai au milieu d'elles. Des promeneurs, quelques sénateurs et une joggeuse blonde en blouson noir et short blanc, capable de faire le tour du jardin en treize minutes, s'arrêteront pour examiner ma marchandise, mais personne ne la prendra.

— On ne peut pas vous acheter un livre sans titre, me feront-ils tous observer.

Il n'y aura en effet que le mot « roman », en tout petits caractères, sur la couverture.

En allumant la télé je tombe encore sur le journal où l'on parle une fois de plus de la Grèce. Le journaliste interviewe une Athénienne relativement jeune : elle explique qu'elle est au chômage et que le salaire de son mari, qui est fonctionnaire, a été réduit de 30 pour cent. Elle est assise sur une chaise de paille dans un jardin. Elle a l'air malheureuse : ce n'est pas elle que je regarde pourtant, mais le garçon au fond du jardin qui s'amuse à creuser la terre de ses mains. Je suis sûr qu'il cherche des vers pour le compte de ses amis qui doivent mourir de faim dans la remise.

Le samedi à sept heures du soir, la rue de Vaugirard, qui, on s'en souvient, passe devant le Sénat, sentait bon comme le paradis. La circulation de voitures ayant été interdite sur cette voie, l'air était imprégné uniquement des parfums portés par les invités des sénateurs, des gens triés sur le volet et qui formaient déjà une queue considérable. Tout ce monde devait passer par une seule porte, celle du palais, ce qui fait qu'il n'avançait guère. Nous avons bien entendu été écœurés, Charles et moi, lorsque nous avons découvert ce spectacle.

— On s'en va ? m'a suggéré mon ami.

J'aurais dû l'écouter : cela nous aurait évité bien des péripéties. Mais j'avais l'intention d'achever mon récit par la description de la fête, d'une façon heureuse croyais-je, comme se terminent tous les romans qui m'ont appris à aimer la littérature.

— On va se débrouiller, lui ai-je promis.

Nous avons remonté la queue jusqu'à l'entrée du palais, qui était gardée par d'impressionnantes forces de police. Là je me suis adressé à l'officier qui commandait la place, un homme au visage poupin qui avait une vague ressemblance avec Guignol.

— Je ne peux pas faire la queue, mon bon monsieur, lui ai-je dit en prenant l'air pitoyable et en lui montrant mes béquilles.

Il a réfléchi, puis il a regardé Charles.

— Il est avec vous ce monsieur ?

— Oui ! ai-je répondu avec joie car je voyais bien que j'étais en train de gagner la partie. C'est mon gymnaste !

Il faut croire que les mots grecs jouissent toujours d'un certain prestige car il nous a laissé passer tous les deux. Après avoir été contrôlés comme dans un aéroport, nous avons traversé un vestibule dont la voûte était décorée de caissons dorés contenant des rosaces, nous avons pris un escalier aux marches très peu élevées, si agréable à monter que j'avais plutôt l'impression de descendre – j'ai pensé que j'avais besoin d'un tel escalier rue Juge –, nous avons tourné à droite, ensuite à gauche, puis encore à gauche, et nous avons fini par comprendre que nous nous étions perdus. Nous avons traversé des salons et des galeries que je n'avais pas vus lors de ma première visite avec M. Jean, nous avons croisé plusieurs statues dont celle d'Harpocrate, le dieu grec du silence, fait la connaissance de six lionnes de Nubie qui avaient dans la gueule un bout de tuyau pour la raison qu'elles avaient été copiées sur celles d'une fontaine italienne, salué un grand nombre de bustes de maréchaux d'Empire et d'hommes d'État, aperçu des tapisseries évoquant l'histoire de France, le triomphe des dieux ou, plus simplement, le mois de novembre. Charles regardait avec intérêt autour de lui.

— Tu ne trouves pas ce lieu un peu démesuré ? lui ai-je demandé quand j'ai senti que je ne pourrais pas continuer à marcher longtemps.

— Les palais sont toujours grands. Ils sont faits pour accueillir l'histoire.

Vais-je l'avouer ? Je me suis assis un moment dans le fauteuil de Napoléon, un siège pas très confortable, relativement élevé, au dos droit. Ses bras s'appuyaient sur deux sphinx : ils avaient, comme il se doit, des têtes de femmes, dont l'une était jeune et l'autre âgée. Charles aussi a remarqué ce détail mais il ne l'a pas commenté. En revanche, le portrait du fils de Napoléon que nous avons vu sur un plafond l'a bien fait rire : le garçon était coiffé exactement comme son père, avec une mèche tombant sur son front.

Ce ne sont pas tant les dorures qui m'ont révulsé au cours de ce périple que les angelots dodus, car il y en avait énormément, sur les peintures, les boiseries sculptées, au-dessus des bas-reliefs, au-dessus des portes, dans tous les angles des plafonds, parfois jouant de la trompette. Dieu n'était nulle part, mais ses agents étaient partout. Visiblement, le décorateur du palais avait horreur du vide. Là où il n'y avait pas assez de place pour un angelot, il avait placé une feuille de chêne, une fleur d'acanthe ou une grappe de raisin.

Quand nous nous sommes trouvés devant le buste de Victor Hugo j'ai compris que nous étions au bout de nos peines.

— La publication des *Misérables* date de 1862, m'a dit Charles. Dans deux ans on célébrera sûrement cet anniversaire. Baudelaire jugeait sévèrement ce roman, il le trouvait immonde et inepte. Ce que je reproche pour ma part à Hugo, c'est au fond de ne pas aimer suffisamment le roman, de le voir comme une tribune qui lui sert à éduquer les masses. Il dispense dans ses œuvres toutes sortes de cours sans rapport avec l'intrigue, sans rapport entre eux non plus : il passe de l'un à l'autre comme on passe à l'école du cours de géographie à celui d'histoire naturelle. Hugo incarne l'école publique. Tu te souviens de sa description de la bataille de Waterloo ?

— Vaguement, ai-je répondu.

— Elle ne fait pas avancer d'un pouce son récit. Elle est pourtant là, magistrale, pour qui veut connaître l'histoire napoléonienne. De temps en temps il sonne la récréation : cela lui rappelle soudain qu'il est aussi en train d'écrire un roman. Il poursuit alors sa narration jusqu'au retour des élèves en classe.

Charles s'est souvenu de la passion de l'écrivain pour l'architecture, qui est manifeste non seulement dans *Les Misérables*, où il retrace la construction des égouts de Paris, mais surtout dans *Notre-Dame de Paris*, où il décrit toute la ville bien que l'action se déroule dans un périmètre limité.

— Comme le pilori de la place de Grève qui est lié à son récit lui paraît plutôt insignifiant, il l'évoque en creux en signalant tous les éléments qui lui manquent pour retenir l'attention ! Balzac, lui, aime le roman et croit dur comme fer à ses personnages. Tu sais quel médecin il a demandé qu'on appelle à son chevet la veille de sa mort ? Le médecin de *La Comédie humaine* !

Hugo m'a paru un peu déçu lorsque nous l'avons quitté. Mais nous l'avons retrouvé dans la cour d'honneur, en la personne de M. Jean.

— C'est Victor Hugo ! s'est exclamé Charles en l'apercevant de loin.

— Il ressemble aussi à Jean Valjean.

— Je ne me souviens pas de la tête de Valjean. Je n'ai jamais cherché à l'imaginer, d'ailleurs.

Nous avons réussi à sortir du bâtiment grâce à la musique que nous percevions de plus en plus clairement quand nous avancions dans la bonne direction. Nous sommes retournés au rez-de-chaussée par un escalier aux marches abruptes que j'ai descendu plus difficilement que je n'avais monté l'autre, et là nous n'avons plus eu qu'à suivre les groupes des invités qui passaient et parmi lesquels j'ai reconnu une ancienne présentatrice du journal télévisé et un ancien champion cycliste.

La cour d'honneur a les dimensions d'un demi-terrain de football. Elle était pleine de monde qui s'écoulait lentement, à travers un autre bâtiment, vers le jardin. La musique était produite par un groupe de barbus aux cheveux longs, comme je n'en avais pas vu depuis Mai 68. M. Jean était en train d'inspecter une curieuse pyramide haute de quatre mètres, entièrement couverte de cageots de légumes. Les carottes occupaient l'échelon le plus bas, l'étage au-dessus était dédié aux laitues, puis venaient les navets. Les produits étaient aussi bien séparés entre eux que les fleurs dans les parterres. M. Jean connaissait Charles de nom, il lisait naguère ses articles dans la presse.

— Vous êtes une plume ! l'a-t-il complimenté.

Je voyais autour de moi plusieurs maires portant l'écharpe tricolore. « Les sénateurs ont invité leurs électeurs. »

— Elvire n'est pas là ? me suis-je inquiété.

— Elle se promène avec votre ami Constantin, m'a-t-il informé du même air désabusé que j'avais remarqué sur le visage de Victor Hugo.

— Il faut laisser la jeunesse s'amuser ! ai-je observé gaiement.

J'ai imaginé Elvire et Constantin enlacés dans la même position que Galatée et Acis, le couple qui orne la fontaine Médicis. À la place de Polyphème qui les surveille sans pouvoir les voir j'ai placé M. Jean. Nous avons jugé que l'exposition de légumes, qui avait vraisemblablement pour but de rappeler les liens des sénateurs avec le terroir, ne méritait pas un examen plus long et nous avons entrepris de nous frayer un passage vers le jardin.

Il faisait presque jour dans le parc. Éclairée par plusieurs projecteurs, la boule à facettes qui était suspendue par une grue au-dessus du grand bassin rendait au centuple la lumière qu'elle recevait. Elle envoyait partout des milliers d'étoiles qui se posaient sur la façade du palais, sur les arbres et les statues, qui atteignaient le fond du jardin et même les nuages les plus bas qui couraient dans le ciel. Jamais je n'en avais vu autant depuis les nuits de Callithéa. Les plaques en acier qui formaient la piste de danse brillaient comme sous le soleil, ainsi que les eaux du bassin. Tous les canards étaient sortis de leur maisonnette, croyant sans doute qu'un jour nouveau s'était levé.

Nous avons commencé par tourner autour du chapiteau, qui égalait la hauteur du palais et dont la toile était composée de bandes alternées aux couleurs du drapeau français. Nous nous sommes demandé si les invités utiliseraient la piste de danse, étant donné que la température n'était que de dix degrés.

— Quand ils auront bien bu et bien mangé ils danseront, a estimé M. Jean. Je n'ai jamais appris à danser pour ma part. Je ne voulais pas apprendre, je me trouvais trop lourd pour danser. Je ne l'ai regretté qu'une seule fois, lors d'une fête de village en Corse.

Pourquoi les gens commencent-ils à parler ? Et pourquoi s'arrêtent-ils ? Il était huit heures à la grande horloge placée au niveau du dernier étage du bâtiment. Elle était entourée de deux femmes représentant le jour et la nuit. La seconde était de dos. On attendait le président pour huit heures trente.

— J'ai entendu que Carla Bruni-Sarkozy nous chantera une chanson consacrée aux célébrités qui ont fréquenté le jardin, notamment à Lénine.

— C'est vrai qu'il aimait venir ici à l'époque où il habitait Paris. C'était avant la révolution d'Octobre. Il était tombé amoureux d'une chaisière nommée Jeannette. Il avait tenté de la séduire, mais Jeannette lui avait résisté. Les chaises étaient payantes à l'époque. Elles ne sont devenues gratuites qu'en 1975.

Il jetait des regards furtifs autour de lui comme si ses propos avaient un caractère confidentiel. Cherchait-il les jeunes gens ? J'ai pensé qu'ils devaient être assis sur le banc où Constantin m'avait lu ses poésies.

— Baudelaire aussi venait au Luxembourg, a dit Charles. Son père travaillait au Sénat. Mais lui ne s'intéressait qu'aux petites vieilles. Il les prenait en filature, il était curieux de savoir où elles habitaient, quel genre de vie elles menaient.

Sous le chapiteau la fanfare de Picardie jouait un air joyeux qui avait cependant des accents de marche militaire. J'ai songé à la belle Italienne de la rue Bonaparte, je lui ai promis que j'irais la voir après la fête. « Vous me parlerez de l'Italie... Je vous raconterai les lumières d'un port grec la nuit. »

— Il n'y a que des vieux qui viennent ici, a dit M. Jean qui avait gardé son air renfrogné. Ils restent immobiles pendant des heures, les yeux fixés sur les statues. Ils économisent leurs dernières forces qui leur permettent à peine de se lever à l'heure de la fermeture. Ce sont des statues qui quittent le parc en fin de journée.

Le chapiteau était encore plus bondé que la cour d'honneur. Nous avons dû nous battre pour y entrer, M. Jean poussait comme un taureau. À la surface de cette marée on distinguait, côté gauche, le chef chinois qui dirigeait l'orchestre, et, côté droit, Marie de Médicis et Polichinelle. J'ai cru que le spectacle de marionnettes était déjà terminé, mais non, Odile et Georgette étaient simplement en train d'installer leurs poupées : elles les suspendaient à des palans de façon qu'elles puissent tenir debout toutes seules. Les tables se trouvaient à la périphérie de cet espace, elles faisaient le tour de la tente. Au fur et à mesure que nous nous en approchions, la foule devenait plus compacte. Aux effluves de parfum que j'avais sentis rue de Vaugirard avait succédé une odeur acre mélangée au fumet des queues de mouton, des crêtes de coq et des faisans.

— Écartez-vous ! criait M. Jean.

Il a réussi à nous conduire jusqu'au buffet et même à me trouver une chaise. Je me suis assis devant la table comme si j'étais au restaurant et comme si tous les mets présentés m'étaient destinés. J'ai pu enfin laisser mes béquilles et prendre un verre de vin que j'ai bu avec infiniment de plaisir. Charles et M. Jean se tenaient à mes côtés comme le Jour et la Nuit de part et d'autre de la grande horloge du palais.

— Comment ça va, Ricardo ? a demandé M. Jean dont l'expression s'est enfin détendue.

Vêtu d'une veste blanche de serveur, rasé de près, les cheveux soigneusement tirés en arrière, Ricardo était méconnaissable. Il se tenait derrière la table et servait les invités en utilisant aussi bien sa main droite que sa main gauche.

— Parfaitement, monsieur Meunier. Je vous remercie.

Il a posé les yeux sur moi.

— Vous ne m'aviez pas reconnu, hein ?

Il a rempli mon verre.

— C'est M. Meunier qui m'a trouvé ce boulot. Je ne savais pas que vous vous connaissiez. J'ai besoin de votre avis sur une question d'extrême importance.

— Tu écris quelque chose en ce moment ? m'a interrogé Charles en se penchant vers moi.

Il en était à son troisième verre. Je lui ai fait la même réponse qu'à Jean-Marc.

— Ma mémoire s'est enrichie de quelques cubes de béton, ai-je ajouté.

Nous avions du mal à nous entendre à cause de

la musique et du tapage général qui était ponctué de cris de protestation, de douleur, de surprise, de joie. Pas loin de nous, un Anglais, reconnaissable à son chapeau melon, sa moustache retroussée et son accent, réclamait depuis un moment une serviette chaude pour nettoyer sa veste tachée de vin. Mais Ricardo ne faisait pas attention à lui : il cherchait un moyen de se rapprocher de moi. Il a fini par se résigner à passer sous la table et s'est assis en tailleur devant mes pieds. Alors il a sorti de sa poche une petite boîte de cellophane qu'il m'a montrée : elle contenait un minuscule bouquet de feuilles rouges qui enveloppaient quelques points jaunes.

— C'est un poinsettia, autrement dit une rose de Noël. Je la trouve bien plus belle que les orchidées parce qu'elle est plus fragile. La beauté est forcément fragile, vous ne trouvez pas ? Je pense l'offrir à Georgette. Qu'est-ce que vous en dites ?

« Il ne fait pas semblant d'être amoureux d'elle, il l'est vraiment », ai-je pensé. Soudain j'ai eu envie de reprendre une vie normale, de jeter mes béquilles, de me dégager de la foule et de courir le long des grilles du jardin en compagnie de la joggeuse blonde. Alors que Ricardo s'apprêtait à retourner à son poste, l'Anglais l'a saisi par les épaules.

— Je vous en prie, monsieur, donnez-moi quelque chose pour essuyer ma veste. Je ne peux pas la laisser dans cet état : que va penser de moi le président Sarkozy ? Je suis après tout le représentant de la reine Elisabeth !

— Je parie que vous êtes lord Glenarvan ! me suis-je exclamé.

— Pari gagné, monsieur, à qui ai-je l'honneur ?

Mes amis ont été aussi ravis que moi de faire la connaissance du descendant, certes lointain, du fameux personnage immortalisé par Jules Verne qui parcourut la moitié du globe en vue de retrouver le père de deux malheureux enfants.

— Vous habitez toujours Malcolm Castle ? l'a questionné Charles.

— Vous savez cela aussi ? s'est étonné lord Glenarvan.

Il paraissait profondément touché par la sympathie que nous lui témoignions. Pendant que Ricardo nettoyait sa veste avec du liquide vaisselle, il nous a parlé de sa vie qu'il a d'emblée qualifiée d'ennuyeuse : il s'ennuyait naturellement à la Chambre des lords où il siégeait et davantage encore dans son château, où il n'avait pour toute compagnie qu'une vieille gouvernante et un jardinier épileptique.

— Je suis un homme bien moins intéressant que mon arrière-grand-père. En plus, je ne suis pas doué pour la recherche des personnes disparues.

— Et comment vont les enfants du capitaine Grant ? l'a interrompu Ricardo.

— Mais ils sont morts depuis longtemps !

L'orchestre a attaqué avec fougue *Les Trompettes de Babylone*, d'Octave B. Percheron : le président et son épouse venaient d'arriver. Des milliers de ballons bleus, blancs, rouges ont été lâchés et sont montés jusqu'au faîte du chapiteau.

Personne parmi nous n'avait touché au buffet, peut-être à cause de la variété des plats qui rendait le choix difficile. J'ai constaté une nouvelle fois pour ma part que je n'avais plus guère d'appétit. La seule chose que j'aurais mangée avec plaisir était un spéculoos, mais il n'y en avait pas.

Le président prenait un bain de foule. Il est passé tout près de nous. Une dame lui a posé cette question :

— Que pensez-vous de l'adhésion de la Turquie à l'Union européenne ?

— La vie ne m'est chère que par les services que je puis rendre à mon pays, a-t-il répondu promptement.

Un peu plus loin, il a déclaré à l'ancienne présentatrice du journal télévisé qui le questionnait sur la solitude du pouvoir :

— Je n'ambitionne d'autre récompense que l'affection de mes concitoyens.

— Ce sont des citations de Napoléon, nous a renseignés M. Jean.

Le président Sarkozy venait de décider qu'il nommerait désormais lui-même les directeurs des chaînes de télévision publique, qui étaient auparavant désignés par un collège : j'ai pensé que le Petit Caporal n'aurait pas désavoué cette mesure.

— Vous avez préparé votre discours ?

— Je ne le ferai pas... Les sénateurs se sont toujours opposés au peuple... Ils ont massacré les communards, empêché Clemenceau de devenir

président de la République, saboté le Front populaire... On a bien fait de les déposséder des
pouvoirs qu'ils avaient avant-guerre... Il n'y a
pas grand-chose à dire à leur actif... Ils ont
porté Napoléon aux nues pour proclamer quelques années plus tard sa déchéance et rétablir
Louis XVIII sur son trône.

Je n'étais pas le seul à l'écouter : Charles, lord
Glenarvan et même Ricardo, qui semblait avoir
complètement oublié son service, suivaient attentivement ses propos. « Il fait quand même son
discours », ai-je pensé.

— Le seul personnage que j'aurais eu du plaisir
à évoquer est celui de la duchesse de Berry, cette
petite dévergondée qui était sans doute un peu
folle... Les plats qu'on nous sert aujourd'hui ne
donnent qu'une vague idée des menus qu'elle
composait : il y avait trente et un potages ! Cent
trente-deux hors-d'œuvre ! Quarante salades !
Tout cela à une époque où Paris mourait de faim !

J'ai songé au local des Compagnons de la nuit
qui n'était qu'à cinq cents mètres de l'endroit où
nous étions réunis. J'ai revu Petit Louis et la
femme évanescente qui écrivait avec une brindille, et Frédo et Saïd et Cyrille bien sûr. J'ai eu la
nostalgie de ce lieu paisible et pas très bien éclairé
où la vie se racontait à elle-même des histoires
singulières, plutôt tristes, mais qui avaient le
mérite d'être vraies.

La musique s'était arrêtée. Les conversations
cessaient peu à peu, il devenait évident que quelqu'un allait prendre la parole, probablement le

président du Sénat pour saluer ses invités. Mais quand le silence fut complet, c'est la voix d'Odile qu'on entendit, dont la tonalité aiguë était encore accentuée par les haut-parleurs :

— Tu es là, Polichinelle ?

La réponse ne se fit pas attendre : un pet résonna, aussi fort que le premier vent lâché par Patrick à l'hôpital d'Aix après son opération de l'intestin.

— Tu as perdu ta langue, mon chéri ? reprit Marie de Médicis.

Les uns riaient, les autres étaient outrés. Je n'ai pas su comment réagissait le couple présidentiel car je ne le voyais pas. Brusquement, tout un pan du chapiteau a été déchiré de haut en bas par une main gigantesque aux doigts crochus, qui était en fait une patte de poulet. À travers l'ouverture, sur fond de nuit, nous avons vu la figurine blanche qui avait pris des proportions encore plus grandes que lors de son apparition sur le grand bassin, qui était à peu près aussi haute que le chapiteau et qui nous regardait de ses yeux dessinés à la peinture noire avec une vague curiosité, comme nous regardons les fourmis, sans chercher à savoir ce qui les pousse à se rassembler ou à se disperser. Contrairement à la majorité des gens, qui ont tout de suite cédé à la panique et se sont mis à se pousser vers les issues de secours sans la moindre dignité et en vociférant, notre équipe a su conserver son sang-froid. J'ai informé mes camarades que la figurine représentait la Mort et qu'elle faisait partie de la collection du théâtre des marionnettes.

— Je l'ai vue un jour en train de cracher des poissons.

— Des poissons ? s'est étonné lord Glenarvan. Comme c'est étrange !

— Elle a sûrement été fabriquée par Georgette, a estimé Ricardo. Je la trouve assez belle finalement.

La Mort avait passé sa tête dans le chapiteau et s'amusait à faire crever un à un les ballons. Ricardo est parti à la recherche de Georgette et d'Odile; quant à nous, nous avons résolu de quitter les lieux après avoir vidé nos verres. Charles avait presque autant de mal à marcher que moi.

Dehors la situation était encore pire, car le palais avait pris feu et il était devenu impossible de nous sauver par où nous étions entrés. Le bâtiment était de toute façon cerné par un cordon de gardes républicains qui en interdisaient l'accès. Le bruit a circulé que les personnalités officielles étaient évacuées par un souterrain construit au temps de Marie de Médicis, qui partait du sous-sol du palais et débouchait rue de Tournon. Le fait est que le couple présidentiel avait bel et bien disparu. Certains se précipitaient vers les grilles, en vue de les forcer ou de les escalader, mais ils revenaient écœurés : au sommet de chaque barreau, chevauchant sa pointe dorée, était installée une marionnette blanche. Des milliers de petites Morts montaient la garde autour du jardin.

— Puisqu'il n'y a rien à faire, autant s'asseoir, a proposé Charles.

Nous avons pris place effectivement sur les marches de pierre conduisant à l'une des terrasses qui dominent le grand bassin.

— Les clochards se souviennent toujours de leur première nuit passée à la rue, ai-je informé mes amis. Il paraît qu'elle est terrible. Elle dure toute leur vie.

— Vous pensez que nous allons devoir dormir à la belle étoile ? a demandé lord Glenarvan, nullement décontenancé.

Il faut croire que la grande marionnette en avait fini avec les ballons : elle est sortie du chapiteau, a regardé un moment l'incendie puis, considérant sans doute qu'on n'avait pas besoin de ses services du côté du palais, elle s'est approchée de la grue et d'un petit coup de patte a fait tomber la boule à facettes dans le bassin. L'eau a giclé jusqu'à nos pieds. Nous avons vu la boule, qui avait pris les couleurs du soleil couchant car elle ne reflétait plus que les lueurs de l'incendie, s'enfoncer peu à peu jusqu'à disparaître.

— Le fond du bassin ne peut pas résister à une telle charge, nous a dit M. Jean. Il est constitué de pavés posés sur un lit de glaise. Juste en dessous il y a une galerie reliée au réseau des anciennes carrières.

La Mort avait pris la direction de la fontaine Médicis. Elle se déplaçait légèrement, comme dans un rêve. Chemin faisant elle redressait les chaises de jardin qui avaient été renversées. Elle m'a fait penser à une maîtresse de maison qui remet de l'ordre quand la fête est finie.

— Regardez ! a dit M. Jean.

Une femme aux cheveux longs était montée sur la coupole du palais et faisait de grands gestes à la foule. Elle avait dérobé les aiguilles de la grande horloge qu'elle tenait dans ses mains. En croisant et en décroisant les bras elle indiquait tantôt qu'il était onze heures un quart, tantôt une heure moins dix. Un homme pas très jeune la suppliait de redescendre. Quand il a commencé à grimper à son tour sur la toiture bombée, la femme a vu rouge et lui a planté les aiguilles dans la figure. Il a roulé sur lui-même, ensuite il est tombé dans le vide.

À la même vitesse qu'il tombait, une jeune femme vêtue de gris, celle-là même que j'avais vue au théâtre des marionnettes, courait vers lui. Sa course révélait une telle passion et une si grande détresse que j'ai enfin deviné qu'il s'agissait de Jane Eyre. Elle a caressé le front de l'homme qui gisait sur les dalles, en piteux état, les yeux ensanglantés.

— Laissez-moi m'occuper de vous, lui a-t-elle dit. Je serai vos yeux désormais.

Beaucoup de gens avaient accouru au chevet du blessé, dont Elvire et Constantin, Ricardo et les deux sœurs qui portaient Marie de Médicis et Polichinelle dans leurs bras. C'est dire que ce malheureux incident nous a permis de nous retrouver tous.

— Je sais comment on va sortir d'ici, nous a rassurés Ricardo.

J'ai pensé aussitôt à la grosse clef qui était

accrochée au tableau de Marie-Paule. « Je vais enfin pouvoir visiter les souterrains de Paris. »

Avant de rendre compte de notre expédition dans les égouts et dans les carrières, ces deux labyrinthes superposés qui ne se ressemblent guère, car dans l'un on trouve un peu de tout et dans l'autre il n'y a rien, il me faut raconter la scène qui s'est déroulée dans l'entrée des toilettes et qui aurait sûrement mérité un meilleur décor.

Malgré l'heure tardive, Marie-Paule était à son poste. Elle portait une longue robe noire très moulante, des gants longs et un genre de bibi muni d'une voilette de dentelle. Elle s'était habillée pour assister à la fête mais au dernier moment on lui avait imposé de garder son établissement ouvert. Elle ne se sentait pas frustrée cependant, car elle avait reçu au cours de la soirée bien des gens importants.

— J'ai même parlé avec deux diplomates grecs, m'a-t-elle dit. Ils ne m'ont pas laissé de pourboire, mais je ne leur en veux pas, je sais que la situation dans votre pays est catastrophique. Ils m'ont raconté qu'un homme de soixante-dix-sept ans s'est suicidé sur la place centrale d'Athènes, en face du parlement. Il a laissé un message où il dénonce les trahisons de la classe politique grecque et la mainmise étrangère sur le pays. C'était un militant de gauche.

Je connais quelques vieux militants à Athènes.

Je les vois au café, ils ont la peau brûlée par le soleil comme s'ils avaient passé toute leur vie au grand air.

— Tu as entendu, Constantin ?

Il n'entendait pas : il veillait sur Elvire, qui était bien pâle et tremblait de froid.

— Il s'est tué d'une balle dans la tête, le matin à neuf heures, au pied d'un cyprès. Il paraît que l'arbre a perdu ses couleurs au cours de la journée, qu'il est devenu tout blanc.

Charles, qui était entre deux vins, a eu comme un sursaut : il venait de se remémorer sans doute l'arbre blanc qui pousse dans le jardin d'Hadès.

M. Jean nous a rappelés à l'ordre :

— Il faut partir d'ici.

— Je m'en occupe ! a déclaré Ricardo.

Il a commencé toutefois par poser sur la petite table une bouteille de champagne qu'il tenait cachée derrière son dos.

— Ça c'est pour toi, a-t-il dit à Marie-Paule. Tu nous passes la clef de l'égout ?

Avait-il déjà offert à Georgette la rose de Noël qu'il lui destinait ? Je me suis souvenu que j'avais toujours dans ma poche une feuille morte.

— Ce n'est pas dangereux de passer par les égouts ? a interrogé Marie-Paule.

— Moins dangereux sûrement que de rester ici, a dit M. Jean en considérant sévèrement les deux sœurs. Alors, mesdames, elle est à vous cette figurine redoutable qui se promène dans le jardin ?

Odile et Georgette ont été bien embarrassées.

— Elle a été fabriquée par mon père, peu avant sa mort, a murmuré Odile.

— J'ai tout de suite remarqué qu'elle n'avait pas la qualité des créations de Georgette ! a commenté cet hypocrite de Ricardo.

— Mais ni mon père ni moi ne l'avons fait jouer. Elle a peut-être souffert de n'avoir jamais eu l'occasion de montrer ce dont elle était capable. Les marionnettes sont comme nous, elles ne supportent pas l'exclusion.

— Ce sont des enfants, a ajouté Georgette. Et les enfants grandissent un jour et nous échappent.

Elle s'est mise à pleurer. Polichinelle, qu'elle portait toujours, comme un enfant justement, la dévisageait d'un air navré.

— Nous pourrons commenter cette soirée à loisir quand nous serons dehors, a jugé Charles qui reprenait peu à peu ses esprits.

Ricardo avait déjà écarté le paravent et soulevé la trappe qui donnait accès au sous-sol.

— Venez !

— Une minute ! est intervenu lord Glenarvan.

Il a fait deux pas vers Marie-Paule en montrant du doigt le médaillon qu'elle avait au cou et lui a dit :

— Où avez-vous trouvé cela, madame ?

Il est difficile de décrire les instants qui ont suivi et ce n'est peut-être pas nécessaire : lord Glenarvan connaissait bien ce médaillon pour l'avoir donné autrefois à la femme qu'il avait aimée dans sa jeunesse et qui avait préféré disparaître dans la nature quand elle avait su qu'elle attendait un enfant.

— Il y a de fortes chances, madame, que vous soyez ma fille, a-t-il dit avec ce flegme qui caractérise tous les sujets de Sa Majesté. Ouvrez ce médaillon, je vous prie.

Le bijou contenait le portrait d'Élisabeth II. J'ai jugé utile d'apporter ma propre contribution à l'aboutissement de cette scène.

— Je suppose, lord Glenarvan, que cette femme s'appelait Alice et qu'elle était la chapelière de la reine.

Georgette et Odile avaient lâché leurs marionnettes. Elles se sont approchées de Marie-Paule non sans hésitation, d'un air craintif pourrais-je dire. À la surprise générale, Georgette lui a adressé la parole en anglais :

— *How are you?* a-t-elle dit.

— *I'm very well, little sister*, a répondu Marie-Paule.

Charles prit l'initiative d'ouvrir le champagne. J'ai eu pitié de Marie de Médicis et de Polichinelle qui étaient par terre et je les ai installés, lui sur la petite table et elle sur la chaise de Marie-Paule.

Pendant que nous étions en train de franchir la lourde porte aux barreaux de fer, j'ai demandé à Charles s'il savait où était la frontière entre le réel et l'imaginaire. Le champagne l'avait complètement réveillé.

— Bien sûr. Elle est ici.

— Tu veux dire que le réel est derrière nous ?

— Non, je pense qu'il est en bas.

Après avoir descendu une vingtaine de marches, nous avons mis pied enfin dans l'égout. J'avais imaginé une galerie plus vaste, plus haute, plus sinistre, plus conforme en somme à la description de Hugo dans *Les Misérables*. Nous nous sommes trouvés en fait dans un tunnel large d'à peine deux mètres, que ses parois arquées rendaient plus exigu encore, et dont la voûte était encombrée par un gigantesque tuyau. Nous pouvions à peine tenir debout sur les trottoirs qui encadraient le fossé où s'écoulaient les eaux usées. Nous avons entendu galoper quelques rats, mais nous n'en avons vu aucun. L'eau n'était pas abondante. Elle était suffisante cependant pour entraîner toutes sortes de saletés, y compris des excréments qui avaient dans l'ensemble une couleur plutôt claire. J'ai retrouvé l'odeur qui se répandait dans le jardin de Callithéa lors de la vidange de la fosse d'aisances. Cela sentait aussi le gaz, ce qui n'a pas manqué de nous alarmer. Ricardo, qui avait pris le commandement des opérations et qui était le seul à disposer d'une lampe de poche, nous a expliqué que nous n'avions qu'une cinquantaine de mètres à parcourir pour atteindre la tranchée conduisant aux carrières, par où nous pourrions le plus aisément gagner l'extérieur.

Nous nous sommes donc placés en file indienne sur le trottoir de droite et nous avons commencé peu à peu à avancer. J'étais en queue du peloton et je progressais moins vite que les autres. J'avais constamment peur de rater le trottoir en posant mes béquilles et de tomber dans le caniveau. M. Jean, qui marchait devant moi, a deviné mes difficultés, car il s'est retourné et m'a proposé de me porter.

— J'ai encore les reins solides, m'a-t-il dit.

Il a poussé la délicatesse jusqu'à descendre dans le fossé pour me permettre de m'installer plus facilement sur son dos. Quand il est remonté sur le trottoir, ses chaussures ont craché presque autant d'eau que le grand bassin lors de la chute de la boule à facettes. Il a pris mes béquilles sous son bras et, après s'être assuré que je le tenais solidement par le cou, il s'est remis en route, plié en deux. « Je suis en train de vivre un des moments les plus fameux du roman français », ai-je pensé.

Quand nous sommes arrivés devant la tranchée qui était située au niveau du trottoir, j'ai plutôt pensé à Alice : je me suis rappelé que la petite fille effectue une partie de son parcours souterrain dans un boyau de cinquante centimètres de hauteur.

— Je vous conseille de mettre vos pieds en avant car la pente est raide, nous a prévenus Ricardo. Vous allez passer comme des lettres à la poste !

J'ai voulu savoir à quoi servait le tuyau qui nous avait tant gênés pendant notre déplacement.

— Il fournit de l'eau aux habitations. On utilise le même réseau de galeries pour évacuer les eaux usées et pour alimenter les Parisiens en eau potable.

M. Jean est entré le premier dans le boyau en emportant mes béquilles. Quand mon tour est venu, Ricardo m'a aidé à glisser mes pieds dans le trou. La pente était raide en effet. Elle était aussi fort longue. Il faut dire qu'on n'avance pas vite quand on rampe à reculons et qu'on ne peut se servir qu'accessoirement de ses jambes. Ce sont mes bras qui ont pratiquement fait tout le travail. Le manque d'air ralentissait encore mes efforts. Par moments j'avais chaud aux pieds comme si je n'étais plus très loin du centre de la Terre que Jules Verne décrit comme un enfer. Les rires que j'ai perçus au bout d'un temps qui m'a paru interminable ne m'ont pas surpris : je les ai attribués au diable et à sa bande.

Lorsque j'ai réussi à m'extirper sain et sauf de la tranchée, j'ai ressenti la même fierté que la première fois où j'avais traversé le jardin de Callithéa tout seul. Je m'attendais à être accueilli par des acclamations : je fus déçu. Les trois sœurs avaient mille choses à se dire qui les faisaient rire et parfois pleurer. Lord Glenarvan n'avait d'yeux que pour Marie-Paule, Constantin pour Elvire. Charles avait pris place par terre et s'était recroquevillé sur lui-même, la tête posée sur ses genoux repliés : il m'a fait penser à Robinson tel que je le voyais rue de Fleurus. M. Jean m'a rendu mes béquilles.

La galerie où nous étions n'était pas plus haute mais sensiblement plus large que celle de l'égout.

Elle était extrêmement propre : il n'y avait rien comme je l'ai dit. Elle était creusée dans la masse d'un banc de pierre calcaire : elle avait la même couleur que les immeubles parisiens. Elle était éclairée par des bougies fichées par terre, une tous les dix mètres environ. L'air cependant était très humide et devait manquer d'oxygène car j'ai dû griller plusieurs allumettes pour allumer ma pipe. L'endroit n'était pas très sain en somme, comme nous avait prévenus, Charles et moi, l'étudiant que nous avions rencontré rue Bonaparte.

— Je me demande qui a bien pu mettre ces bougies ici, s'est étonné Ricardo qui venait de nous rejoindre.

— Ce sont sans doute les étudiants de l'École des mines, à l'occasion du bizutage des élèves de première année, a dit Charles en relevant la tête.

Il ne faisait ni chaud ni froid, juste un peu frais. Ricardo nous a confirmé que la température était constante à cette profondeur.

— Comment se fait-il que vous connaissiez si bien ce lieu ? l'a interpellé M. Jean.

Il a pris le temps de nous interroger des yeux pour s'assurer qu'il pouvait nous faire confiance. En dernier lieu il a regardé Georgette, qui lui a adressé un petit signe d'acquiescement de la tête. Il a retrouvé instantanément sa posture théâtrale familière qui le fait tant ressembler à Gnafron.

— Je passe par ici tous les soirs, a-t-il reconnu. Je squatte le pavillon qui se trouve à l'angle du jardin, au coin des rues Guynemer et Vaugirard : sa cave communique avec les carrières. Je n'allume pas la lumière et je n'ouvre jamais les volets, mais cela ne m'ennuie pas, je n'aime pas les pièces trop éclairées, la pénombre me convient mieux. Je ne peux pas y entrer directement par le jardin car il y a une grille autour et parce que je n'ai pas la clef de la porte du pavillon. Je ne passe pas par les égouts, bien entendu, je descends directement dans les carrières par l'accès qui se trouve avenue de l'Observatoire. C'est par là que je vous propose de remonter, c'est à deux pas de la rue Notre-Dame-des-Champs.

— Ce pavillon servait autrefois de logement au médecin du Sénat, nous a appris M. Jean. On l'appelle toujours « la Maison du docteur ».

— Je suis enchanté d'avoir découvert cet univers ! a clamé lord Glenarvan avec une excitation plutôt rare chez un homme de son âge. La prochaine fois que je verrai la reine Élisabeth, je lui en ferai un récit détaillé. Je suis sûr qu'elle n'est jamais descendue aussi bas !

Je me suis souvenu que j'avais déjà remarqué la maison que squattait Ricardo le soir où je m'étais assis à côté de la femme de bronze pour allumer ma pipe. Un des renseignements fournis par l'étudiant le même soir m'est également revenu à l'esprit. Je me suis ainsi rendu compte que nous étions sous une dalle de pierre de vingt mètres d'épaisseur, autant dire impossible à soulever. J'ai été épouvanté, mais je n'en ai rien laissé paraître. Et lorsque nous avons entendu chanter les étudiants, je suis convenu que nous devions aller à leur rencontre. La chanson parlait d'une princesse enfermée dans un château, d'un prince perfide et d'un cheval qui courait dans les prés et que personne ne pouvait arrêter.

Nous avons suivi l'itinéraire balisé par les bougies. Les étudiants étaient en fait bien plus loin que nous ne le croyions. Leurs voix résonnaient clairement parce qu'il régnait par ailleurs un silence de mort. Nous avons exploré plusieurs galeries. J'ai pu vérifier que les noms de rues gravés dans la pierre n'étaient pas ceux de la ville moderne. Nous avons pris notamment la grande avenue du Luxembourg qui n'existe plus. Il y avait d'autres inscriptions sur les parois. Nous avons décrypté la signature d'un certain Célestin Pierre Picoud datée de 1789 et vu le dessin d'une guillotine. M. Jean a rappelé que les ouvriers des carrières avaient pris une part active à la Révolution. Nous avons lu les mots DÉFENSE DE FUMER écrits en allemand, car il semble que les forces d'occupation qui ont investi le palais du Luxembourg lors de la dernière guerre ont aussi utilisé les carrières comme abri. Nous avons découvert, dans le renfoncement d'une paroi, la tombe de Philibert Aspairt qui s'est égaré dans le dédale des galeries en 1793 et n'en est jamais ressorti. Ricardo nous a raconté d'une mine réjouie qu'il était le concierge de l'hôpital du Val-de-Grâce et qu'il était descendu dans les catacombes juste pour voler du vin dans la cave d'un monastère. Sur le fronton d'une porte figurait cette inquiétante inscription gravée avec soin : ARRÊTE, C'EST ICI L'EMPIRE DE LA MORT.

Nous avons continué. Le succès des carrières tient peut-être au fait qu'elles assurent un certain dépaysement à peu de frais. Nous avons vu également des tags et des peintures en couleurs, représentant par exemple une jolie sirène, signées parfois du pseudonyme Hadès. Nous formions un groupe de touristes très ordinaire.

Soudain l'espace a été inondé de lumière. Elle venait principalement d'un lustre, presque aussi grand que ceux du Sénat, suspendu au-dessus d'un carrefour formé par le croisement de plusieurs tunnels. Nous avons été éblouis, comme à l'entrée de certains restaurants très fréquentés. Il n'y avait qu'une table, mais elle était très longue. Elle était construite avec des pierres, puisqu'il n'y a que cela dans les carrières. Était-elle l'œuvre des étudiants de l'École des mines ? des membres de la grande famille des cataphiles ? Elle était chargée de plats, de bouteilles et de bougies. Mais le plus étonnant dans ce tableau, c'est que la plupart des convives étaient déguisés. Je me souvenais que les bizuts étaient tenus de se présenter affublés de vêtements bizarres, j'étais loin de me douter cependant qu'ils étaient capables de trouver des déguisements aussi parfaits. Leurs vêtements n'étaient pas moins élaborés que ceux des poupées du théâtre de marionnettes. Je veux dire que j'ai vu autour de la table tous mes amis, j'ai cru me retrouver une nouvelle fois dans la remise de Callithéa. Je les ai scrutés tous, Cyrano, Robin des Bois, Don Quichotte, Michel Strogoff et Alice et les autres. J'ai été particulièrement touché par la présence de Renard-Subtil. Celle de Milady m'a un peu choqué, mais j'ai pensé qu'elle méritait finalement sa place car sans elle les mousquetaires auraient eu une existence bien morne. Je voulais les remercier d'être venus à ce dernier rendez-vous, de m'avoir accompagné jusqu'au bout.

Ils nous ont invités à prendre un verre avec eux, ce que nous avons fait volontiers. Je me suis trouvé entre Charles et Long John Silver et j'ai trinqué avec les deux.

— Je ne suis pas sûr qu'il y a tant de différence entre ce monde et celui que nous avons quitté, ai-je dit à Charles.

— Il n'y a probablement pas de vraie frontière entre les deux, a-t-il admis en esquissant un sourire qui n'était pas gai, qui n'était pas triste, qui était peut-être celui qu'arborait Guignol à ses débuts et qui plaisait à mon frère.

Au milieu des plats, des bouteilles et des bougies était posé un violon. Je n'ai pas été le seul à le voir.

— Tu veux bien essayer de jouer un peu ? a proposé Georgette à Ricardo, qui s'est mis à protester vivement.

Pour la convaincre qu'il ne le pouvait pas, il a levé sa main droite : mais elle ne tremblait pas.

— J'ai confiance en toi, a-t-elle dit de sa jolie voix grave.

Cette phrase a balayé d'un coup toutes les objections de l'Italien. Il a donc joué. Il a commencé par quelques fausses notes. Cependant sa main n'a pas tardé à prendre de l'assurance. Il a joué un air populaire de son pays qui était comme le sourire de Charles, ni vraiment gai, ni vraiment triste. Quand il a eu terminé, pendant que l'assemblée applaudissait, je me suis levé.

— Tu t'en vas déjà ? m'a dit Charles.

Ce n'était pas trop tôt, ni trop tard : c'était le moment. J'ai salué d'Artagnan et tous les héros d'une vigoureuse poignée de main, puis j'ai embrassé Marie-Paule et lord Glenarvan, Ricardo et Georgette, j'ai embrassé Odile, j'ai embrassé Constantin.

— Cela fait trois jours que j'essaie d'écrire et je n'y arrive pas, m'a-t-il confié.

— Il faut continuer, Constantin. Il faut toujours continuer.

J'ai embrassé Elvire et M. Jean. Je sais que cela ne se fait pas beaucoup d'embrasser ses personnages avant de les quitter, mais je l'ai fait.

L'étudiant rencontré rue Bonaparte a bien voulu me raccompagner jusqu'à la sortie donnant dans cette rue. Une fois la porte refermée derrière moi, j'ai pris une profonde inspiration. La rue était complètement vide. Le jardin du Luxembourg avait apparemment retrouvé tout son calme. J'ai supposé que la Mort avait regagné le castelet, qu'elle était sagement accrochée sur le mur du fond au milieu des autres marionnettes.

En traversant la chaussée je me suis répété les mots de Charles : « Il n'y a pas de vraie frontière. » Je me suis assis à côté de la femme de bronze et j'ai allumé ma pipe. J'ai eu une longue conversation muette avec cette dame. Avant de m'en aller, j'ai éprouvé le besoin de lui laisser un souvenir de mon passage et de notre conversation et j'ai déposé sur sa jupe une feuille morte.

26 mai 2012

DU MÊME AUTEUR

Aux Éditions Stock

LE SANDWICH, *roman*, Julliard, 1974 ; réédition, Stock, 2013

CONTRÔLE D'IDENTITÉ, *roman*, Le Seuil, 1985 ; nouvelle édition, Stock, 2000

PARIS-ATHÈNES, *récit*, Le Seuil, 1989 ; nouvelle édition, Stock, 2006 (Folio n° 4581)

AVANT, *roman*, Le Seuil, 1992. Prix Albert-Camus ; nouvelle édition, Stock, 2006

LA LANGUE MATERNELLE, *roman*, Fayard, 1995. Prix Médicis ; nouvelle édition, Stock, 2006 (Folio n° 4580)

LE CŒUR DE MARGUERITTE, *roman*, 1999 (Le Livre de Poche)

LES MOTS ÉTRANGERS, *roman*, 2002 (Folio n° 3971)

JE T'OUBLIERAI TOUS LES JOURS, *récit*, 2005 (Folio n° 4488)

AP. J.-C., *roman*, 2007. Grand prix du roman de l'Académie française (Folio n° 4921)

LE PREMIER MOT, *roman*, 2010 (Folio n° 5358)

PAPA, *nouvelles*, Fayard, 1997. Prix de la Nouvelle de l'Académie française ; nouvelle édition, Stock, 2011

L'ENFANT GREC, *roman*, 2012 (Folio n° 5701)

Aux Éditions Fayard

TALGO, *roman*, Le Seuil, 1983 ; nouvelle édition, Fayard, 1997

Chez d'autres éditeurs

LES GIRLS DU CITY-BOUM-BOUM, *roman*, Julliard, 1975 (Points-Seuil)

LA TÊTE DU CHAT, *roman*, Le Seuil, 1978

LE FILS DE KING KONG, *aphorismes*, tirage limité, Les Yeux ouverts, Suisse, 1987

L'INVENTION DU BAISER, *aphorismes*, illustrations de Thierry
  Bourquin, tirage limité, Nomades, Suisse, 1997

LE COLIN D'ALASKA, *nouvelle*, illustrations de Maxime Préaud,
  tirage limité, Paris, 1999

L'AVEUGLE ET LE PHILOSOPHE, *dessins humoristiques*,
  Quiquandquoi, Suisse, 2006

COLLECTION FOLIO

Dernières parutions

Composition et
Impression Maury Imprimeur
45330 Malesherbes
le 8 janvier 2014.
Dépôt légal : janvier 2014.
Numéro d'imprimeur : 187047.

ISBN 978-2-07-045244-6. / Imprimé en France.